Verloren seizoen

Bezoek onze internetsite www.awbruna.nl
voor informatie over al onze boeken en softwareproducten.

John Grisham

Verloren seizoen

A.W. Bruna Uitgevers B.V., Utrecht

Oorspronkelijke titel
Bleachers
© 2003 by John Grisham
Vertaling
Hugo en Nienke Kuipers
Omslagontwerp
Myosotis Reclame Studio
© 2003 A.W. Bruna Uitgevers B.V., Utrecht

ISBN 90 229 8809 0
NUR 302

Voor Ty, en de fantastische kinderen
waar hij op high school football mee speelde
en hun geweldige coach; en de herinneringen
aan twee staatskampioenschappen.

Dinsdag

De weg naar Rake Field liep langs de school, langs de oude muziekzaal en de tennisbanen, door een tunnel van twee kaarsrechte rijen rode en gele esdoorns, geplant en bekostigd door de vrijwilligers, en vervolgens over een lichte helling naar een lager gelegen terrein met genoeg asfalt voor duizend auto's. De weg eindigde voor een reusachtige poort van baksteen en smeedijzer. Het was de poort van Rake Field, met daarachter een gazen omheining die om heel het heilige terrein heen liep. Elke vrijdagavond wachtten de inwoners van de stad Messina tot die poort openging, en dan renden ze naar de onoverdekte tribune, waar de plaatsen werden bezet en de nerveuze rituelen werden voltrokken die aan elke wedstrijd voorafgingen. Al lang voor de kickoff stroomde de zwarte asfaltvlakte rond Rake Field vol. Het verkeer van buiten de stad werd naar de onverharde wegen geleid, en naar de straatjes en afgelegen parkeerzones achter de kantine en het honkbalveld van de school. Supporters van de tegenpartij hadden het moeilijk in Messina, maar lang niet zo moeilijk als de bezoekende teams zelf.

Neely Crenshaw reed langzaam over de weg naar Rake Field, langzaam omdat hij daar in vele jaren niet terug was geweest, langzaam omdat er zoveel herinneringen bij hem opkwamen toen hij de lichtmasten van het veld zag, zoals hij wel had verwacht. Hij reed tussen de rode en gele esdoorns door, die schitterden in hun herfsttooi. Hun stammen waren in Neely's glorietijd dertig centimeter dik geweest, maar nu raakten hun takken elkaar hoog boven hem. De bladeren dwarrelden als sneeuw naar beneden en bedekten de weg helemaal tot aan Rake Field.

Het was laat in de middag in oktober, en een zachte wind uit het noorden maakte de lucht een beetje kil.

Hij stopte bij de poort en keek naar het veld. Al zijn bewegingen waren nu langzaam; zijn gedachten waren zwaar van de geluiden en de beelden uit een ander leven. Toen hij speelde, had het veld geen naam; dat was niet nodig geweest. Iedereen in Messina kende het als 'Het veld'. 'De jongens waren vanmorgen al vroeg op Het veld,' zeiden ze in de cafetaria in de binnenstad. 'Hoe laat gaan we Het veld schoonmaken?' vroegen ze in de Rotary Club. 'Rake zegt dat er een nieuwe bezoekerstribune op Het veld moet komen,' zeiden ze op de bijeenkomst van vrijwilligers. 'Rake had ze vanavond nog laat op Het veld,' zeiden ze in de kroegen in het noorden van de stad.

Geen enkel stukje grond in Messina werd meer vereerd dan Het veld. Zelfs de begraafplaats niet.

Toen Rake weg was, noemden ze het naar hem. Neely was toen ook al weg, allang en niet van plan om terug te komen.

Hij wist niet precies waarom hij nu terugkwam, maar diep in zijn hart had hij geweten dat deze dag zou aanbreken, de dag ergens in de toekomst waarop hij werd teruggeroepen. Hij had altijd geweten dat Rake uiteindelijk zou sterven, en natuurlijk zou er dan een begrafenis komen met honderden ex-spelers rond de kist, allemaal in hun Spartans-groene tenue, allemaal rouwend om het verlies van een legende die ze hadden aanbeden en gehaat. Neely had vaak tegen zichzelf gezegd dat hij nooit naar Het veld terug zou komen zolang Rake nog leefde.

In de verte, achter de bezoekerstribunes, lagen de twee

oefenvelden, waarvan een met lichten. Geen enkele andere high school in de staat bezat zo'n luxe-oefenveld, maar er was dan ook geen enkele andere stad in de staat die het football zo absoluut, zo collectief aanbad als Messina. Neely hoorde het fluitje van een coach en het stampen en kreunen van lichamen die tegen elkaar dreunden: het nieuwste Spartans-team dat zich op vrijdagavond voorbereidde. Hij liep door de poort en over de baan, die natuurlijk donkergroen was geverfd.

Het gras van de end zone was zo strak geknipt dat je er zou kunnen putten, maar er kwamen een paar wilde sprieten tegen de doelpaal omhoog. En er zaten een paar plekjes onkruid in de ene hoek, en nu hem dat was opgevallen, keek Neely nog wat beter en zag hij dat het gras langs de rand van het veld niet goed was geknipt. In de glorietijd waren er elke donderdagmiddag tientallen vrijwilligers geweest die Het veld met tuinscharen bijknipten. Elk grassprietje dat niet in het gareel stond, ging onder het mes.

De glorietijd was voorbij. Daar was een eind aan gekomen toen Rake wegging. Tegenwoordig werd football in Messina gespeeld door stervelingen. De stad had zijn allure verloren.

Coach Rake had ooit luidkeels gescholden op enkele goedgeklede heren die de zonde begingen het heilige bermudagras van Het veld te betreden. De heren trokken zich schielijk terug en liepen langs de zijlijn, en toen hij dichterbij kwam, besefte Rake dat hij zojuist de burgemeester van Messina had uitgescholden. De burgemeester was beledigd. Het kon Rake niet schelen. Niemand liep op zijn veld. De burgemeester, die het niet gewend was om uitgescholden te worden, deed

een tot mislukken gedoemde poging om Rake ontslagen te krijgen, maar Rake deed dat met een schouder-
ophalen af. Bij de eerste de beste verkiezingen stemde
de bevolking de burgemeester met vier tegen één weg.
In die tijd had Eddie Rake meer politieke macht in
Messina dan alle politici bij elkaar, al deed het hem
niet veel.

Neely bleef langs de zijlijn en liep langzaam naar de
thuistribunes. Opeens bleef hij staan en haalde hij diep
adem, want hij voelde de zenuwen die hij altijd voor
een wedstrijd had. Het bulderen van een publiek van
lang geleden kwam terug, een publiek dat daarboven
op de tribune dicht opeenstond terwijl het muziekkorps in het midden van het veld steeds maar weer
het krijgslied van de Spartans uitschetterde. En langs
de zijlijn, een paar meter bij hem vandaan, zag hij dat
nummer 19 zich nerveus warmliep, aanbeden door de
toeschouwers. Nummer 19 was een held van de high
school, een vermaarde quarterback met een gouden
arm, snelle voeten, veel lichaamsmassa, misschien wel
de grootste speler die Messina ooit had voortgebracht.
Nummer 19 was Neely Crenshaw in een vorig leven.

Hij deed een paar stappen langs de zijlijn, bleef bij de
50-yardlijn staan, vanwaar Rake honderden wedstrijden had gecoacht, en keek weer naar de stille tribunes,
waar zich ooit op vrijdagavonden tienduizend mensen
hadden verzameld om hun emoties over het footballteam van de high school uit te storten.

Er kwam nu half zoveel publiek, had hij gehoord.

Er was vijftien jaar verstreken sinds nummer 19 zovelen in vervoering had gebracht. Vijftien jaar sinds
Neely op de heilige grasmat had gespeeld. Hoeveel

keer had hij zichzelf beloofd dat hij nooit zou doen wat hij nu deed? Hoeveel keer had hij gezworen dat hij nooit terug zou keren?

Op een oefenveld in de verte blies een coach op een fluitje en schreeuwde iemand, maar Neely kon het amper horen. In plaats daarvan hoorde hij de drums van het muziekkorps, en de hese, onvergetelijke stem van Bo Michael door de luidsprekers, en het oorverdovende lawaai van de tribunes als de supporters op en neer sprongen.

Hij hoorde Rake blaffen en grommen, al verloor zijn coach ook in het heetst van de strijd bijna nooit zijn zelfbeheersing.

Daar waren de cheerleaders – springend, scanderend, korte rokken, maillots, stevige gebruinde benen. In die tijd had Neely het voor het uitkiezen.

Zijn ouders zaten bij de 40-yardlijn, acht rijen van de persbox vandaan. Voor elke kickoff zwaaide hij naar zijn moeder. Het grootste deel van de wedstrijd zat ze te bidden, want ze was ervan overtuigd dat hij zijn nek zou breken.

De rekruteerders van de colleges hadden pasjes voor een rij stoelen bij de 50-yard, de beste plaatsen. Iemand telde 38 van die scouts tijdens de wedstrijd tegen Garnet Central, en ze kwamen allemaal naar nummer 19 kijken. Meer dan honderd colleges schreven hem een brief; zijn vader had ze allemaal nog. 31 boden hem een volledige beurs aan. Toen Neely bij Tech tekende, was er een persconferentie en waren er grote krantenkoppen.

Tienduizend zitplaatsen op de tribune, en dat voor een stad met maar achtduizend inwoners. De rekensom had nooit geklopt. Maar ze waren in grote aantallen van buiten de stad gekomen, uit de rimboe, waar op vrijdagavond niets te doen was. Ze kregen hun loon en kochten hun bier, en dan kwamen ze naar de stad, naar Het veld, waar ze een luidruchtige troep vormden aan de noordkant van de tribune en meer lawaai maakten dan de leerlingen, het muziekkorps en de mensen uit Messina bij elkaar.

Toen hij nog een kind was, had zijn vader hem van die noordkant vandaan gehouden. 'Die boerenkinkels' daar dronken en gingen soms vechten en schreeuwden schunnige woorden naar de officials. Een paar jaar later was nummer 19 gek op het kabaal dat die boerenmensen maakten, en ze waren absoluut gek op hem.

Nu was het stil op de tribune, afwachtend stil. Hij liep langzaam langs de zijlijn, zijn handen diep in zijn zakken, een vergeten held waarvan de ster snel was verbleekt. De jongen die drie seizoenen quarterback van Messina was geweest. Meer dan honderd touchdowns. Hij had op dit veld nooit verloren. De wedstrijden kwamen hem weer voor ogen, al verzette hij zich daartegen. Die tijd was voorbij, zei hij voor de honderdste keer tegen zichzelf. Allang voorbij.

Aan de zuidkant hadden de vrijwilligers een gigantisch scorebord opgericht, met daaromheen grote witte borden waarop in forse, groene letters de geschiedenis van het football in Messina was beschreven. En dus ook de geschiedenis van de stad. Ongeslagen in 1960 en 1961, toen Rake nog geen dertig was. En toen begon in 1964 de Streak: perfecte seizoenen, de rest van dat decennium en het begin van het volgende. Een maand nadat Neely in 1970 was geboren, verloor Messina van

South Wayne in de strijd om het kampioenschap van de staat en was de Streak voorbij. 84 overwinningen op een rij, een nationaal record in die tijd, en Eddie Rake was op zijn 39e een legende.

Neely's vader had hem verteld over de onuitsprekelijke somberheid die in de dagen na die nederlaag over het stadje neerdaalde. Alsof 84 overwinningen achtereen niet genoeg waren. Het was een trieste winter, maar Messina kwam erdoorheen. Het volgende seizoen versloegen Rakes jongens South Wayne met 13-0 in de kampioenswedstrijd. Er volgden nog meer kampioenschappen, in 1974, 1975 en 1979.

Toen viel de droogte in. Van 1980 tot 1987, toen Neely in de hoogste klas zat, bleef Messina elk seizoen ongeslagen en wonnen ze met gemak de conference en de playoffs, maar verloren ze in de finale. Er heerste ontevredenheid in Messina. De plaatselijke bewoners in de cafetaria's waren niet gelukkig. De oudjes verlangden naar de dagen van de Streak. Een of andere school in California behaalde negentig overwinningen achter elkaar en de hele stad Messina was diep beledigd.

Links van het scorebord stonden, op groene borden met witte letters, de eerbewijzen aan de grootste van alle Messina-helden. Neely's nummer 19 was de laatste. Daarnaast stond nummer 56, het nummer van Jesse Trapp, een linebacker die korte tijd in Miami speelde en daarna in de gevangenis terechtkwam. In 1974 had Rake officieel afscheid genomen van nummer 81, het nummer van Roman Armstead, de enige van de Messina Spartans die ooit in de NFL had gespeeld.

Voorbij de zuidkant van het veld stond een clubgebouw waar menig klein college jaloers op zou zijn.

Het had een fitnessruimte en afsluitbare kasten en een bezoekerskleedkamer met vloerbedekking en douches. Ook dat was door de vrijwilligers gebouwd na een intense geldinzamelingscampagne die een hele winter duurde en de hele stad bezighield. Het beste was nog niet goed genoeg voor de Messina Spartans. Coach Rake wilde een fitnessruimte en afsluitbare kasten en een coachkantoor, en de vrijwilligers dachten bijna niet meer aan Kerstmis.

En nu stond er nog iets anders, iets wat Neely niet eerder had gezien. Even voorbij het hek dat naar het clubgebouw leidde, stond een monument met een bakstenen voetstuk en een bronzen borstbeeld. Neely liep er naar toe om het te bekijken. Het was Rake, een vergrote Rake met rimpels in zijn voorhoofd en de bekende norse blik in zijn ogen, een heel vage aanduiding van een glimlach. Hij droeg de verweerde Messina-pet die hij tientallen jaren had gedragen. Een bronzen Eddie Rake, op zijn vijftigste, niet de oude man van zeventig. Op de plaquette onder het borstbeeld stonden in gloedvolle bewoordingen de bijzonderheden vermeld die bijna iedereen in de straten van Messina moeiteloos uit het hoofd kon opdreunen – 34 jaar coach van de Spartans, 418 overwinningen, 62 nederlagen, 13 staatskampioenschappen, en van 1964 tot 1970 een ononderbroken reeks van 84 overwinningen. Het was een altaar, en Neely kon al voor zich zien dat de Spartans ervoor bogen als ze op vrijdagavond het veld op gingen.

De wind stak op en blies bladeren voor Neely langs. De training was voorbij en de zweterige, vuil geworden spelers sjokten naar het clubgebouw. Omdat hij niet gezien wilde worden, liep hij een eindje verder over de baan en ging hij door een hek. Hij klom dertig rijen omhoog en ging in z'n eentje op de tribune zitten, hoog boven Rake Field en met uitzicht op het dal in het oosten. Kerktorens verhieven zich in de verte boven de goudgele en vuurrode bomen van Messina. De torenspits helemaal links was van de methodistenkerk, en een blok daarachter, niet te zien vanaf de tribune, stond een mooi huis met twee verdiepingen dat de stad aan Eddie Rake had gegeven toen hij vijftig werd.

En in dat huis waren mevrouw Lila en haar drie dochters en alle andere Rakes nu bijeen, wachtend tot de coach zijn laatste adem uitblies. Het huis zou nu ook vol vrienden zijn, en er stonden schalen met eten op de tafels en er lagen overal stapels bloemen.

Waren daar ook vroegere spelers? Neely dacht van niet.

De volgende auto op het parkeerterrein stopte dicht bij die van Neely. Deze Spartan droeg een jas en een das, en toen hij achteloos over de baan liep, lette hij er ook op dat hij het speelveld niet betrad. Hij zag Neely en ging de tribune op.

'Hoe lang ben je hier al?' vroeg hij toen ze elkaar de hand schudden.

'Niet lang,' zei Neely. 'Is hij dood?'

'Nee, nog niet.'

Paul Curry ving 47 van de 63 touchdown-passes die Neely gooide in de drie jaar dat ze samen speelden. Crenshaw met Curry, keer op keer, bijna niet te stoppen. Ze waren co-captains geweest. Ze waren goede vrienden geweest, al waren ze in de loop van de jaren van elkaar verwijderd geraakt. Ze belden elkaar drie of vier keer per jaar. Pauls grootvader had de eerste bank van Messina opgericht; zijn toekomst was dus al vanaf zijn geboorte verzekerd geweest. Hij trouwde ook nog met een meisje uit een andere prominente familie in Messina. Neely was getuige, en die bruiloft was meteen de laatste keer geweest dat hij in Messina terug was.

'Hoe gaat het thuis?' vroeg Neely.

'Prima. Mona is zwanger.'

'Natuurlijk is ze zwanger. Nummer vijf of zes.'

'Vier nog maar.'

Neely schudde zijn hoofd. Ze zaten een meter van elkaar vandaan en keken allebei in de verte. Ze praatten, maar in hun gedachten waren ze ergens anders. Er kwam lawaai van het clubgebouw, waar auto's startten.

'Hoe gaat het met het team?' vroeg Neely.

'Niet slecht, vier gewonnen, twee verloren. De coach is een jonge vent uit Missouri. Ik mag hem wel. Talent is dun gezaaid.'

'Missouri?'

'Ja, niemand binnen een afstand van duizend kilometer wilde die baan hebben.'

Neely keek hem aan en zei: 'Je bent wat aangekomen.'

'Ik ben bankier en ik zit bij de Rotary. Ik kan nog steeds harder lopen dan jij.' Paul zweeg abrupt. Die laatste zin was eruit geweest voor hij er erg in had. Neely's linkerknie was twee keer zo dik als zijn rechter.

'Daar twijfel ik niet aan,' zei Neely met een glimlach. Hij voelde zich niet gekwetst.

Ze zagen de laatste auto's wegrijden, de meeste met gierende banden of in elk geval met een poging daartoe. Een Spartans-traditie van wat minder allooi.

Toen werd het weer stil. 'Kom je hier ooit als het leeg is?' vroeg Neely.

'Vroeger wel.'

'En liep je dan om het veld heen en dacht je aan vroeger?'

'Dat deed ik, tot ik ermee ophield. Dat overkomt ons allemaal.'

'Dit is de eerste keer dat ik hier terug ben sinds ze mijn nummer hebben ingetrokken.'

'En jij bent er niet mee opgehouden. Jij leeft nog in die tijd, jij droomt nog, jij bent nog steeds de quarterback.'

'Ik wilde dat ik nooit een footballveld had gezien.'

'In deze stad had je geen keus. Rake had ons al in footballtenue toen we nog in de zesde klas zaten. Vier teams – rood, blauw, goud en zwart, weet je nog wel? Niet groen, want alle jongens wilden groen dragen. We speelden op dinsdagavond en trokken al meer publiek dan de meeste high schools. We leerden dezelfde plays die Rake op vrijdagavond gebruikte. Hetzelfde systeem. We droomden ervan een Spartan te zijn en voor een uitzinnige menigte van tienduizend mensen te spelen. In de negende klas hield Rake zelf toezicht op onze trainingen en kenden we alle veertig plays uit zijn repertoire. We kenden ze in onze slaap.'

'Ik ken ze nog steeds,' zei Neely.

'Ik ook. Weet je nog, die keer dat hij ons op een training twee uur achter elkaar slot-waggle-right liet oefenen?'

'Ja, omdat jij het steeds verprutste.'

'En toen moesten we de tribune op en neer rennen tot we ervan kotsten.'

'Dat was Rake,' mompelde Neely.

'Je telt de jaren tot je in het team van een college zit, en dan ben je een held, een idool, een arrogante klootzak, want in de plaats waar je vandaan komt, kun je niets verkeerd doen. Je wint en wint en je bent de koning van je eigen wereldje, en dan – beng, is het voorbij. Je speelt je laatste wedstrijd en iedereen huilt. Je kunt niet geloven dat het voorbij is. Dan komt er een ander team voor jou in de plaats en denkt niemand meer aan je.'

'Het is zo lang geleden.'

'Vijftien jaar, jongen. Toen ik studeerde, kwam ik in de vakanties naar huis, maar dan bleef ik hier ver vandaan. Ik wilde niet eens langs de school rijden. Ik heb Rake nooit meer gezien; dat wilde ik ook niet. Maar op een zomeravond, kort voordat ik naar mijn college terugging, een maand of zo voordat ze hem ontsloegen, kocht ik een sixpack bier en klom ik hier de tribune op en draaide ik alle wedstrijden nog eens af. Ik zag hoe we scoorden wanneer we maar wilden, hoe we elke wedstrijd helemaal beheersten – het was geweldig. Toen deed het verrekte pijn omdat het voorbij was. Onze schitterende gloriedagen waren ineens voorbij.'

'Heb je Rake die avond gehaat?'

'Nee, toen hield ik van hem.'

'Het is gisteren veranderd.'

'Voor de meesten van ons.'

'Doet het nu pijn?'

'Niet meer. Toen ik getrouwd was, kochten we seizoenkaarten, werden we vrijwilliger bij de club, de dingen die iedereen doet. In de loop van de tijd vergat ik dat ik een held was geweest en werd ik gewoon een supporter.'

'Je gaat naar alle wedstrijden?'

20

Paul wees naar links. 'Ja. De bank heeft een heel blok zitplaatsen.'

'Met jouw gezin heb je ook een heel blok nodig.'

'Mona is erg vruchtbaar.'

'Kennelijk. Hoe ziet ze eruit?'

'Ze ziet er zwanger uit.'

'Ik bedoel, je weet wel, is ze in vorm?'

'Met andere woorden, is ze dik?'

'Precies.'

'Nee, ze traint twee uur per dag en eet alleen sla. Ze ziet er fantastisch uit en ze wil dat je vanavond bij ons komt eten.'

'Sla?'

'Wat je maar wilt. Zal ik haar bellen?'

'Nee, nog niet. Laten we praten.'

Een hele tijd praatten ze niet. Ze zagen een pick-up-truck bij de poort tot stilstand komen. De bestuurder was een zwaargebouwde man met een vale spijker-broek, een pet van spijkerstof, een grote baard en een mank been. Hij liep over de baan langs het veld, en toen hij naar de tribunes ging, zag hij dat Neely en Curry daarboven zaten en naar elke stap keken die hij zette. Hij knikte hen toe, klom een paar rijen en ging toen naar het veld zitten kijken, erg stil en erg alleen.

'Dat is Orley Short,' zei Paul, die het gezicht eindelijk herkende. 'Eind jaren zeventig.'

'Dat weet ik nog,' zei Neely. 'De langzaamste line-backer uit de geschiedenis.'

'En de gemeenste. Alleen conference, denk ik. Hij speelde één jaar op een junior college en hield er toen mee op om de rest van zijn leven te gaan houthakken.'

'Rake was gek op die houthakkers, hè?'

21

'Wij allemaal toch? Vier houthakkers in de verdediging en de conference-titel kon ons niet ontgaan.'

Een andere pick-up stopte dicht bij de eerste, en opnieuw wandelde een zwaargebouwd heerschap in overall en denim naar de tribune, waar hij Orley Short begroette en naast hem ging zitten. Uit niets bleek dat ze dat zo hadden afgesproken.

'Ik kan hem niet thuisbrengen,' zei Curry, die moeite deed om de tweede man te identificeren en zich ergerde omdat het hem niet wilde lukken. In drieënhalf decennium had Rake honderden jongens uit Messina en omstreken gecoacht. De meesten van hen waren nooit weggegaan. Rakes spelers kenden elkaar. Ze maakten deel uit van een kleine broederschap waarvan nooit meer iemand anders lid kon worden.

'Je zou vaker terug moeten gaan,' zei Paul toen het tijd was om weer te praten.

'Waarom?'

'De mensen willen je graag zien.'

'Misschien wil ik hen niet zien.'

'Waarom niet?'

'Ik weet het niet.'

'Je denkt dat mensen nog steeds een wrok tegen je koesteren omdat je de Heisman-trofee niet won?'

'Nee,' zei Neely.

'Ze zullen zich jou nog wel herinneren,' ging Hull verder, 'maar je bent geschiedenis. Je bent nog steeds hun held, maar dan wel van lang geleden. Als je Renfrow's Café binnenloopt, zie je dat Maggie die kolossale foto van jou nog boven de kassa heeft hangen. Ik ga daar elke donderdag ontbijten en dan zijn er altijd wel een paar ouwe kerels die erover discussiëren wie de beste quarterback van Messina is geweest, Neely Crenshaw of Wally Webb. Webb heeft vier jaar gespeeld, 46 overwinningen op een rij, nooit verloren, enzovoort, enzovoort. Maar Crenshaw speelde tegen zwarte jongens en die wedstrijden waren sneller en harder. Crenshaw kreeg een contract bij Tech, maar Webb was niet goed genoeg voor het grote werk. Zo gaat de discussie nog een hele tijd door. Ze bewonderen je nog steeds, Neely.'

'Dank je, maar ik hoef daar niet heen.'

'Zelf weten.'

'Het was een ander leven.'

'Kom nou, doe niet zo moeilijk. Je moet genieten van je herinneringen.'

'Dat kan ik niet. Rake is daar.'

'Waarom ben je hier dan?'

'Ik weet het niet.'

Ergens diep in Pauls mooie donkere pak zoemde een telefoon. Hij vond hem en zei: 'Curry.' Stilte. 'Ik ben op het veld, met Crenshaw.' Stilte. 'Ja, hij is hier. Ik zweer het je. Goed.' Paul klapte de telefoon dicht en stopte hem in zijn zak.

'Dat was Silo,' zei hij. 'Ik had hem verteld dat je misschien zou komen.'

Neely glimlachte en schudde zijn hoofd bij de gedachte aan Silo Mooney. 'Ik heb hem niet meer gezien sinds ons eindexamen.'

'Hij heeft geen eindexamen gedaan. Weet je dat niet meer?'

'O ja. Dat was ik vergeten.'

'Hij had dat probleempje met de politie. De Wet op de verdovende middelen. Een maand voor ons eindexamen schopte zijn vader hem het huis uit.'

'Ja, nu weet ik het weer.'

'Hij woonde een paar weken bij Rake en ging toen in het leger.'

'Wat doet hij tegenwoordig?'

'Nou, laten we zeggen dat hij een erg kleurrijke carrière heeft gehad. Hij kreeg oneervol ontslag uit het leger, werkte een paar jaar op boorplatforms, kreeg genoeg van eerlijk werken, kwam naar Messina terug en ging daar in drugs handelen, totdat er op hem werd geschoten.'

'Ik neem aan dat de kogel hem miste.'

'Rakelings. Silo probeerde weer een eerlijk leven te leiden. Ik leende hem vijfduizend dollar om de oude schoenwinkel van Franklin te kopen en hij werd ondernemer. Hij verlaagde de prijzen van de schoenen en verdubbelde de lonen van zijn werknemers, en binnen een jaar was hij failliet. Hij heeft grafpercelen verkocht, toen tweedehands auto's, toen stacaravans. Ik verloor hem een tijdje uit het oog. Op een dag kwam hij de bank binnenlopen en betaalde hij alles wat hij schuldig was in contanten. Hij zei dat hij eindelijk op een goudmijn was gestuit.'

'In Messina?'

'Ja. Op de een of andere manier had hij kans gezien die ouwe Joslin zijn sloperij afhandig te maken, ten oosten van de stad. Hij zorgde dat er een goed gebouw kwam en in de voorste helft heeft hij nu een legitieme autowerkplaats. Die rendeert. In de achterste helft heeft hij een illegale werkplaats, gespecialiseerd in gestolen pick-ups. Die rendeert nog veel beter.'

'Dat heeft hij jou niet verteld.'

'Nee, hij had het niet over die illegale werkplaats. Maar

ik ben zijn bankier, en hier in de stad kun je moeilijk iets geheim houden. Hij heeft een of andere deal met een stel dieven in de Carolina's, die hem gestolen trucks sturen. Hij sloopt ze en verkoopt de onderdelen. Het wordt allemaal cash afgedaan, en blijkbaar gaat er veel om.'

'De politie?'

'Nog niet, maar iedereen die zaken met hem doet, is erg voorzichtig. Ik denk dat de FBI elk moment met een dagvaarding bij ons kan binnenvallen, dus ik ben er klaar voor.'

'Typisch Silo,' zei Neely.

'Hij is een hopeloos geval. Zuipen, achter de wijven aan, met geld smijten. Hij lijkt tien jaar ouder dan hij is.'

'Waarom vind ik dat helemaal niet vreemd? Vecht hij ook nog steeds?'

'De hele tijd. Pas op met wat je over Rake zegt. Niemand houdt meer van hem dan Silo. Dan krijg je hem achter je aan.'

'Maak je geen zorgen.'

Silo Mooney had het midden van elk veld beheerst waarop hij speelde: als center wanneer ze offense speelden en als noseguard wanneer ze defense speelden. Hij was nog geen 1 meter 80, met een lichaam dat, tja, op een silo leek. Alles aan hem was dik – borst, taille, benen, armen. Met Neeley en Paul speelde hij drie jaar. In tegenstelling tot de twee anderen beging Silo gemiddeld twee persoonlijke overtredingen per wedstrijd. Hij beging er een keer vier, een in elk quarter. Hij werd er twee keer uitgegooid omdat hij een lineman van de tegenpartij in zijn kruis schopte. Hij wilde absoluut bloed zien bij de arme stumper die tegenover hem kwam te staan. 'Ik heb die klootzak al aan het bloeden,' gromde hij in de huddle, meestal tegen het eind van de eerste helft. 'Hij haalt het einde van de wedstrijd niet.' 'Maak hem af,' zei Neely dan, alsof hij een dolle hond aan het opjutten was. Eén lineman op halve kracht maakte Neely's taak veel gemakkelijker.

Geen enkele Messina-speler was ooit zo vaak en zo grof door coach Rake uitgescholden als Silo Mooney. En niemand verdiende dat meer dan hij. Niemand hunkerde zo naar verbale agressie als Silo.

Aan de noordkant van de tribune, waar vroeger de boerenkinkels van buiten de stad zoveel kabaal maakten, liep een oudere man rustig naar de bovenste rij en ging daar zitten. Ze konden hem op deze afstand niet herkennen, en het was duidelijk dat hij alleen wilde zijn. Hij keek naar het veld en liet zich algauw helemaal meeslepen door zijn herinneringen.

De eerste jogger verscheen en begon tegen de klok in over de baan te draven. Het was het uur van de dag waarop de joggers en hardlopers naar het veld kwamen om hun rondjes te lopen. Rake had zulke flauwekul nooit toegestaan, maar toen hij was ontslagen, waren er stemmen opgegaan om de baan open te stellen voor mensen die ervoor betaalden. Meestal hing er wel ergens een onderhoudsman rond die erop toezag dat niemand het waagde een stap op het gras van Rake Field te zetten. Dat hoefde je echt niet te proberen.

'Waar is Floyd?' vroeg Neely.

'Die zit nog in Nashville aan zijn gitaar te plukken en slechte muziek te schrijven. Nog steeds op jacht naar zijn droom.'

'Ontario?'

'Die woont hier nog. Hij werkt op het postkantoor. Hij en Takita hebben drie kinderen. Zij is onderwijzeres en ze is nog net zo aardig als vroeger. Ze gaan vijf keer per week naar de kerk.'

'Dus hij glimlacht nog?'

'Altijd.'

'Denny?'

'Die woont hier ook nog. Hij geeft scheikunde in dat gebouw daar. Slaat geen wedstrijd over.'

'Heb jij scheikunde gedaan?'

'Nee.'

'Ik ook niet. Ik keek nooit een boek in en had toch allemaal achten.'

'Je hoefde niet te leren. Je was de footballheld.'

'En Jesse zit nog in de gevangenis?'

'O ja, die zit daar nog een hele tijd.'

'Waar is hij?'

'In Buford. Ik kom zijn moeder nog wel eens tegen en dan vraag ik altijd naar hem. Daar moet ze van huilen, maar ik kan het niet helpen.'

'Zou hij van Rake weten?' vroeg Neely.

Paul haalde zijn schouders op en schudde zijn hoofd, en het werd weer even stil tussen hen. Ze keken naar een oude man die in een moeizaam tempo over de baan sjokte. Hij werd gevolgd door twee grote jonge vrouwen, die meer energie verbruikten met praten dan met lopen.

'Heb je ooit het echte verhaal gehoord over Jesses contract bij Miami?' vroeg Neely.

'Nee, eigenlijk niet. Veel geruchten over geld, maar Jesse wilde het nooit zeggen.'

'Kun je je Rakes reactie herinneren?'

'Ja, hij wilde Jesse vermoorden. Ik denk dat Rake wat beloften had gedaan aan de rekruteerder van A&M.'

'Rake wilde altijd de hoofdprijzen uitreiken,' zei Neely op een toon alsof hij uit ervaring sprak. 'Hij wilde mij op State hebben.'

'Daar had je ook heen moeten gaan.'

'Daar is het nu te laat voor.'

'Waarom ging je naar Tech?'

'Ik mocht hun quarterback-coach graag.'

'Iedereen had een hekel aan hun quarterback-coach. Wat was de echte reden?'

'Wil je het echt weten?'

'Ja, na vijftien jaar wil ik het echt weten.'

'Vijftigduizend dollar in het handje.'

'Nee.'

'Ja. State bood veertig. A&M bood vijfendertig, een paar andere colleges wilden twintig betalen.'

'Dat heb je me nooit verteld.'

'Ik heb het tot op dit moment nooit iemand verteld. Het is een vuil wereldje.'

'Je kreeg vijftigduizend dollar in het handje van Tech?' vroeg Paul langzaam.

'Vijfhonderd biljetten van honderd dollar. Ze zaten in een rode tas zonder opschrift die ze op een avond in de kofferbak van mijn auto zetten toen ik met Screamer naar de film was. De volgende morgen tekende ik voor Tech.'

'Wisten je ouders dat?'

'Ben je gek? Mijn vader zou meteen de sportbond bellen.'

'Waarom heb je het aangepakt?'

'Doe niet zo naïef, Paul. Alle colleges boden zwart geld. Dat hoorde erbij.'

'Ik ben niet naïef. Ik sta alleen van jou te kijken.'

'Waarom? Ik kon voor niets bij Tech tekenen, of ik kon dat geld aanpakken. Vijftigduizend dollar voor een jongen van achttien – dat is zoiets als de loterij winnen.'

'Maar toch...'

'Alle colleges boden geld, Paul. Daar was niet één uitzondering op. Het hoorde er gewoon bij.'

'Hoe heb je het geld verstopt?'

'Hier en daar. Toen ik op Tech kwam, betaalde ik contant voor een nieuwe auto. Het was gauw op.'

'En je ouders vermoedden niets?'

'Dat wel, maar ik zat op college en ze konden niet alles in de gaten houden.'

'Je hebt er niets van gespaard?'

'Waarom zou je geld sparen als je op de loonlijst staat?'

'Welke loonlijst?'

Neely ging verzitten en keek hem met een toegeeflijk glimlachje aan.

'Doe niet zo neerbuigend, lul,' zei Paul. 'Je zult het gek vinden, maar de meesten van ons hebben niet in de Eerste Divisie gespeeld.'

'Weet je nog, de Gator Bowl toen ik eerstejaars was?'

'Ja. Daar keek iedereen naar.'

'Ik kwam in de tweede helft van de bank, gooide drie touchdowns, rende honderd yards, en we wonnen de wedstrijd met een laatste tweede pass. Een nieuwe ster aan het firmament, ik ben de beste eerstejaars van het hele land, bla, bla, bla. Nou, toen ik op het college terugkwam, lag er een pakje in mijn postbus. Vijfduizend dollar in contanten. Er zat een briefje bij: "Goed gespeeld. Ga zo door." Er stond geen naam onder. De boodschap was duidelijk – blijf winnen en het geld blijft komen. Dus ik vond het niet nodig om te sparen.'

Silo's pick-up was speciaal overgespoten met een vreemde mengeling van goud en rood. De wielen glinsterden van het zilver en de ruiten waren pikzwart. 'Daar heb je hem,' zei Paul, toen de wagen bij de poort tot stilstand kwam.

'Wat voor pick-up is dat?' vroeg Neely.

'Een gestolen pick-up, neem ik aan.'

Silo zelf was ook speciaal uitgedost – leren bomberjack uit de Tweede Wereldoorlog, zwarte denimbroek, zwarte laarzen. Hij was niet afgevallen, maar ook niet aangekomen, en toen hij langzaam langs het veld liep, zag hij er nog steeds als een nosetackle uit. Hij liep als een Messina Spartan, de borst vooruit, een wandelende provocatie aan het adres van eenieder die niet op zijn woorden lette. Silo zag eruit alsof hij het nog steeds kon: zijn tenue aantrekken, de bal grijpen, zijn tegenstander letsel toebrengen.

In plaats daarvan keek hij nu naar iets op het midden van het veld, misschien naar zichzelf van lang geleden, of misschien hoorde hij Rake weer blaffen. Wat het ook was dat Silo hoorde of zag, hij bleef even langs de zijlijn staan. Toen ging hij met zijn handen diep in de zakken van zijn jasje de tribune op. Hij hijgde toen hij bij Neely aankwam. Hij sloeg zijn grote armen om zijn quarterback heen en vroeg hem waar hij de afgelopen vijftien jaar had gezeten. Ze wisselden begroetingen en beledigingen uit. Ze hadden elkaar zoveel te vertellen dat ze geen van beiden wilden beginnen.

Ze zaten met z'n drieën op een rij en keken naar weer een jogger die voorbij strompelde. Silo was zwijgzaam, en toen hij begon te spreken, deed hij dat bijna fluisterend. 'Nou, waar woon je tegenwoordig?'

'In de buurt van Orlando,' zei Neely.

'Wat voor werk doe je?'

'Onroerend goed.'

'Heb je een gezin?'

'Nee, één keer gescheiden. Jij?'

'O, ik heb vast wel een heleboel kinderen. Ik weet alleen niet van ze af. Nooit getrouwd. Verdien je geld?'

'Gaat wel. Ik sta niet op de Forbes-lijst.'

'Ik volgend jaar waarschijnlijk wel,' zei Silo.

'Wat voor werk doe je?' vroeg Neely met een blik op Paul.

'Ik heb een autowerkplaats,' zei Silo. 'Ik ben vanmiddag bij Rake thuis geweest. Mevrouw Lila en de meisjes zijn er, en ook de kleinkinderen en buren. Het huis zit vol mensen. Ze zitten te wachten tot Rake dood is.'

'Heb je hem gezien?' vroeg Paul.

'Nee. Hij ligt ergens achter in het huis, met een verpleegster. Mevrouw Lila zei dat hij niet wil dat iemand hem in zijn laatste dagen te zien krijgt. Ze zei dat hij alleen nog maar een skelet is.'

Ze stelden zich voor hoe Eddie Rake in een donker bed lag, met een verpleegster die de minuten aftelde, en spraken een hele tijd niet. Tot aan de dag waarop hij werd ontslagen, had Rake in korte broek gecoacht, en hij had het nooit een punt gevonden om persoonlijk de juiste blocktechnieken of de finesses van de stijve arm te demonstreren. Rake genoot van fysiek contact met zijn spelers, al betekende dat niet dat hij schouderklopjes uitdeelde. Rake mocht graag agressief optreden, en een training was niet compleet als hij niet woedend zijn klembord neergooide en iemand bij zijn schoudervullingen pakte. Hoe groter hoe beter. Als ze blocktechnieken doornamen, en het ging niet naar zijn zin, dan hurkte hij met een perfecte driepuntshouding neer, smeet de bal weg en dreunde tegen een defensieve tackle op, iemand die twintig kilo zwaarder was en helemaal ingepakt zat. Iedere Messina-speler had wel eens gezien hoe Rake, op een dag dat het erg slecht ging, zijn lichaam tegen een running back gooide en hem met één harde dreun onderuit haalde. Hij hield van de gewelddadigheid van football en eiste die agressie van iedere speler.

In zijn 34 jaar als hoofdcoach had Rake maar twee spelers van het veld geslagen. Het eerste geval was een beroemd vuistgevecht in het eind van de jaren zestig geweest, een knokpartij tussen de coach en een driftkop die uit het team stapte en ruzie zocht, waar je bij Rake nooit lang naar hoefde te zoeken. Het tweede geval was een cheap shot geweest dat in het gezicht van Neely Crenshaw terechtkwam.

Het was onvoorstelbaar dat hij nu een verschrompelde oude man was die nog net een beetje kon ademhalen.

'Ik ben op de Filipijnen geweest,' zei Silo op gedempte toon, maar zijn stem was hees en droeg in de windstille lucht nog tamelijk ver. 'Ik bewaakte wc's voor de officieren en ik had de pest aan elke minuut dat ik daar was, en ik heb jou nooit in een collegeteam zien spelen.'

'Je hebt niet veel gemist,' zei Neely.

'Ik hoorde later dat je geweldig goed was en dat je toen een blessure opliep.'

'Ik heb een paar mooie wedstrijden gespeeld.'

'Als tweedejaars was hij een keer de nationale speler van de week,' zei Paul. 'Hij gooide zes touchdowns tegen Purdue.'

'Was het je knie?' vroeg Silo.

'Ja.'

'Hoe is dat gebeurd?'

'Ik kwam eruit, zag een opening, stak de bal onder mijn arm en rende over het veld. Ik zag niet dat daar een linebacker stond.' Neely vertelde het verhaal zoals hij het al duizend keer had verteld. Het liefst zou hij het nooit meer vertellen.

Silo had een kruisband in zijn knie gescheurd en was dat te boven gekomen. Hij wist iets van knieën. 'Geopereerd?' vroeg hij.

'Vier keer,' zei Neely. 'Alle banden geheel afgescheurd, knieschijf kapot.'

'Dus je kwam tegen de helm?'

'De linebacker dook op de knie af toen Neely eraan kwam,' zei Paul. 'Ze hebben het wel tien keer op de televisie laten zien. Een van de commentatoren had het lef om het een cheap shot te noemen. Het was het team van A&M, wat moet ik nog meer zeggen?'

'Dat moet verdomd veel pijn hebben gedaan.'

'Ja.'

'Hij werd in een ambulance afgevoerd en ze huilden in de straten van Messina.'

'Dat zal vast wel,' zei Silo. 'Maar dat heb je hier in de stad gauw. En de revalidatie hielp niet?'

'Het was wat ze een carrièrestoppende blessure noemen,' zei Neely. 'De therapie maakte het alleen maar erger. Ik kon het wel schudden vanaf het moment dat ik die bal pakte en begon te rennen. Ik had in de pocket moeten blijven, zoals ik van mijn coach had geleerd.'

'Rake heeft je nooit verteld dat je in de pocket moet blijven.'

'Ze spelen daar een heel ander spel, Silo.'

'Ja, het zijn een stelletje stomkoppen. Ze hebben mij nooit gerekruteerd. Ik had geweldig kunnen zijn, misschien wel de eerste nosetackle die de Heisman-trofee kreeg.'

'Ongetwijfeld,' zei Paul.

'Iedereen wist het op Tech,' zei Neely. 'Alle spelers vroegen steeds weer aan me: "Waar is de grote Silo Mooney? Waarom hebben we hem niet onder contract?"'

'Wat zonde,' zei Paul. 'Je had nog steeds in de NFL kunnen spelen.'

'Waarschijnlijk bij de Packers,' zei Silo. 'Voor het grote geld. Meiden die op je deur kloppen. Het betere leven.'

'Wilde Rake niet dat je naar een junior college ging?' vroeg Neely.

'Ja, ik was op weg, maar ze wilden me hier de school niet laten afmaken.'

'Hoe ben je in het leger gekomen?'

'Ik loog.'

En het leed geen enkele twijfel dat Silo had gelogen om in het leger te komen, en waarschijnlijk ook om eruit te komen. 'Ik moet een biertje hebben,' zei hij. 'Jullie ook zin?'

'Ik liever niet,' zei Paul. 'Ik moet straks naar huis.'

'En jij?'

'Een biertje gaat er wel in,' zei Neely.
'Blijf je hier nog een tijdje?' vroeg Silo.
'Misschien.'
'Ik ook. Ik heb het gevoel dat ik hier nu moet zijn.'

De Spartans-marathon was een jaarlijkse kwelling, door Rake in het leven geroepen om het nieuwe seizoen te openen. Het evenement vond plaats op de eerste trainingsdag in augustus, altijd om twaalf uur 's middags, want dan was het 't heetst. Iedere college-speler in spe kwam in gymbroek en op hardloopschoenen naar de baan, en als Rake op zijn fluitje blies, begonnen ze aan hun rondjes.
Het doel was eenvoudig – je rende tot je erbij neerviel. Twaalf rondjes was het minimum. Een speler die de twaalf rondjes niet haalde, kreeg de kans om de marathon de volgende dag over te doen, en als het dan ook niet lukte, was hij ongeschikt om een Messina Spartan te worden. Een high school-speler die geen vijf kilometer kon hardlopen, had niets op het footballveld te zoeken.
De assistent-coaches zaten in de persbox met airconditioning en telden de rondjes. Rake slenterde van de ene naar de andere kant van de baan om naar de hardlopers te kijken. Nu en dan blafte hij, en soms diskwalificeerde hij iemand die te langzaam liep. Het ging niet om snelheid, tenzij het meer wandelen dan hardlopen was, want dan werd je door Rake van de baan gehaald. Als een speler het opgaf of niet verder meer kon of op een andere manier gediskwalificeerd was, moest hij midden op het veld in de felle zon zitten tot er niemand meer overeind stond. Er waren erg weinig regels,

maar je werd automatisch verwijderd als je op de baan kotste. Kotsen was toegestaan en het gebeurde dan ook veelvuldig, maar zodra een speler dat had gedaan, ergens buiten de baan, werd van hem verwacht dat hij verderging met hardlopen.

Van Rakes uitgebreide repertoire van harde trainingsmethoden was de marathon verreweg de meest gevreesde. Vanwege de marathon waren in de loop van de jaren sommige jongens in Messina een andere sport gaan beoefenen, of ze waren helemaal opgehouden met sporten. Als je er in juli tegen een speler over begon, had hij meteen een droge mond en een dikke knoop in zijn maag. Begin augustus renden de meeste spelers minstens tien kilometer per dag om zich voor te bereiden.

Vanwege de marathon begon iedere Spartan in een voortreffelijke conditie aan het seizoen. Het was niets bijzonders dat een zware footballer in de loop van de zomer tien of vijftien kilo afviel, niet voor zijn vriendin en niet om er beter uit te zien. Die kilo's wilde hij kwijt om de Spartans-marathon te overleven. Was de marathon eenmaal voorbij, dan kon het eten weer beginnen, al was het moeilijk om er kilo's bij te krijgen als je drie uur per dag op het trainingsveld was.

Coach Rake zag toch al niet veel in grote spelers. Hij gaf de voorkeur aan gemene types als Silo Mooney.

In Neely's laatste jaar op de high school liep hij 31 rondjes, bijna dertien kilometer, en toen hij kokhalzend in het gras viel, hoorde hij Rake naar hem vloeken vanaf de andere kant van het veld. Paul liep dat jaar ruim vijftien kilometer, 38 rondjes, en won de wedstrijd. Iedere Spartan herinnerde zich twee cijfers – zijn rugnummer en het aantal rondjes dat hij in de Spartans-marathon had gelopen.

Toen hij door die knieblessure was teruggevallen tot de status van gewoon een willekeurige student aan Tech, zat Neely een keer in een bar, toen een meisjesstudente uit Messina hem zag. 'Heb je het nieuws van thuis gehoord?' zei ze. 'Welk nieuws?' vroeg Neely, die zich helemaal niet voor nieuws uit zijn geboortestad interesseerde.

'Ze hebben een nieuw record in de Spartans-marathon.'

'O ja?'

'Ja, 83 rondjes.'

Neely herhaalde wat ze had gezegd, rekende het uit en zei toen: 'Dat is zo'n 33 kilometer.'

'Ja.'

'Wie was dat?'

'Een jongen die Jaeger heet.'

Alleen in Messina praatten de mensen ook over de nieuwste trainingscijfers in augustus.

Randy Jaeger kwam nu de tribune op. Hij droeg zijn groene footballshirt met het cijfer 5 in het wit met een zilveren randje. Het shirt was strak in zijn broek gestopt. Hij was klein, erg slank bij zijn middel, en was zonder enige twijfel een erg snelle wide receiver met snelle voeten en met een indrukwekkende staat van dienst in het veld. Hij herkende eerst Paul, en toen hij dichterbij kwam ook Neely. Op drie rijen afstand bleef hij staan en zei: 'Neely Crenshaw.'

'Ja,' zei Neely. Ze schudden elkaar de hand. Paul kende Jaeger goed, want zoals al gauw uit het gesprek bleek, bezat Randy's familie een winkelcentrum ten noorden van de stad, en zoals iedereen in Messina bankierden ze bij Paul.

'Nog iets over Rake gehoord?' vroeg Jaeger toen hij op de rij achter hen was gaan zitten en zich tussen hen door naar voren boog.

'Niet veel. Hij houdt nog vol,' zei Paul ernstig.

'Tot wanneer heb je hier gespeeld?' vroeg Neely.

'Tot 1993.'

'En ze ontsloegen hem in...'

'1992, toen ik in de hoogste klas zat. Ik was een van de captains.'

Er viel een diepe stilte. Zonder iets te zeggen gingen ze bij zichzelf nog eens na hoe Rakes ontslag in zijn werk was gegaan. Neely had in die tijd door het westen van Canada gezworven, bijna vijf jaar op drift na zijn studietijd, en het hele drama was hem ontgaan. In de loop van de jaren had hij wat bijzonderheden gehoord, al had hij geprobeerd zichzelf wijs te maken dat het hem niet kon schelen wat er met Eddie Rake was gebeurd.

'Jij rende de 83 rondjes?' vroeg Neely.

'Ja, in 1990, toen ik tweedejaars was.'

'Is dat nog steeds het record?'

'Ja. En jij?'

'31, in mijn laatste jaar. 83 is bijna niet te geloven.'

'Ik had geluk. Het was bewolkt en koel.'

'En de jongen die tweede werd?'

'45, geloof ik.'

'Dat lijkt mij geen geluk. Heb je op college gespeeld?'

'Nee, ik woog zestig kilo, inclusief beschermende kleding.'

'Hij is twee jaar all-state geweest,' zei Paul. 'En hij heeft nog steeds het returnrecord. Zijn moeder kon hem gewoon niet vetmesten.'

'Ik heb een vraag,' zei Neely. 'Ik liep 31 rondjes en zakte van ellende in elkaar. En toen schold Rake me de huid vol. Wat zei hij precies toen jij klaar was met je 83 rondjes?'

Paul kreunde en grijnsde, want hij kende dat verhaal al. Jaeger schudde zijn hoofd en glimlachte. 'Typisch Rake,' zei hij. 'Toen ik klaar was, kwam hij naar me toe en zei met harde stem: "Ik dacht dat je honderd kon lopen." Natuurlijk deed hij dat met het oog op de andere spelers. Later, in de kleedkamer, zei hij erg zachtjes tegen me dat het een topprestatie was.'

Twee van de joggers verlieten de baan en liepen een paar rijen omhoog om vervolgens ergens te gaan zitten en naar het veld te kijken. Ze waren begin vijftig, gebruind en fit, en droegen dure hardloopschoenen.

'Die kerel rechts is Blanchard Teague,' zei Paul, die er trots op was dat hij iedereen kende. 'Onze oogarts. Links zit Jon Couch, een advocaat. Ze speelden eind jaren zestig, in de Streak.'

'Dus ze hebben nooit een wedstrijd verloren,' zei Jaeger.

'Nee. Sterker nog, het team van 1968 heeft nooit een tegenpunt te incasseren gekregen. Twaalf wedstrijden, twaalf shutouts. Die twee kerels waren erbij.'

'Indrukwekkend,' zei Jaeger met oprecht ontzag.

'Dat was voordat wij geboren waren,' zei Paul.

Een seizoen zonder tegenscore – ze hadden een minuut nodig om dat te verwerken. De oogarts en de advocaat waren in gesprek verwikkeld. Ongetwijfeld beleefden ze opnieuw hun glorieuze prestaties ten tijde van de Streak.

'Een paar jaar nadat Rake was ontslagen, stond er in de krant een verhaal over hem,' zei Paul zachtjes. 'Ze kwamen met de gebruikelijke cijfers, maar ze schreven ook dat hij in 34 jaar 714 spelers had gecoacht. Dat was de titel van het verhaal – *Eddie Rake en de zevenhonderd Spartans.*'

'Dat heb ik gelezen,' zei Jaeger.

'Ik vraag me af hoeveel er op zijn begrafenis komen,' zei Paul.

'De meesten.'

Silo's versie van 'even een biertje halen' hield in dat hij met twee kratten bier terugkwam, en ook met twee extra kerels om te helpen het op te drinken. Er kwamen drie mannen uit zijn pick-up, Trunk zelf voorop met een krat Budweiser op zijn schouder. Hij had ook een flesje in zijn hand.

'Allemachtig,' zei Paul.

'Wie is die magere man?' vroeg Neely.

'Dat zal Hubcap zijn.'

'Zit Hubcap niet in de gevangenis?'

'Hij komt en gaat.'

'Die andere is Amos Kelso,' zei Jaeger. 'Hij speelde met mij.'

Amos sjouwde met het andere krat bier, en toen ze met z'n drieën de tribune op stampten, vroeg Silo aan Orley Short en zijn maat of ze zin hadden om mee te drinken. Dat lieten ze zich geen twee keer zeggen. Silo schreeuwde naar Teague en Couch, en die volgden hen ook omhoog naar rij 30, waar Neely en Paul en Randy Jaeger zaten.

Toen ze zich allemaal aan elkaar hadden voorgesteld en de flesjes waren opengetrokken, vroeg Orley aan de groep: 'Wat is het laatste nieuws over Rake?'

'Afwachten,' zei Paul.

'Ik ben vanmiddag naar zijn huis geweest,' zei Couch ernstig. 'Het is alleen een kwestie van tijd.' Couch was typisch een gewichtige advocaat en Neely had meteen een hekel aan hem. Teague, de oogarts, begon aan een lang verhaal over de nieuwste vorderingen van Rakes kanker.

Het was bijna donker. De joggers waren van de baan verdwenen. In de schaduw van het clubhuis dook een lange, slungelige man op. Hij liep langzaam naar de metalen masten van het scorebord.

'Dat is toch niet Rabbit?' vroeg Neely.

'Natuurlijk wel,' zei Paul. 'Die gaat nooit weg.'

'Wat is zijn functie tegenwoordig?'

'Die heeft hij niet nodig.'

'Ik heb geschiedenis van hem gehad,' zei Teague.

'En ik wiskunde,' zei Couch.

Rabbit had elf jaar lesgegeven voordat iemand doorhad dat hij zelf amper de lagere school had doorlopen. In het schandaal dat daarop volgde, werd hij ontslagen, maar Rake kwam tussenbeide en zorgde dat Rabbit als assistent-trainer werd aangesteld. Op de Messina High School betekende zo'n titel dat hij alleen maar bevelen van Rake opvolgde. Hij bestuurde de teambus, maakte uniformen schoon, onderhield materialen en wat het belangrijkst was: hij vertelde Rake alle nieuwtjes.

Er waren vier lichtmasten, twee aan elke kant. Rabbit haalde een schakelaar over. De lichten aan het eind

41

van de bezoekerskant gingen aan, tien rijen van tien lampen. Er vielen lange schaduwen over het veld.

'Dat doet hij nu al een week,' zei Paul. 'Rabbit laat ze de hele nacht branden. Zijn versie van een wake. Als Rake dood is, gaan de lichten uit.'

Rabbit strompelde naar het clubhuis terug en verdween daarin. 'Woont hij daar nog steeds?' vroeg Neely.

'Ja. Hij heeft een veldbed op zolder, boven de fitnessruimte. Noemt zich nachtwaker. Hij is zo gek als een deur.'

'Hij was een verdomd goeie wiskundeleraar,' zei Couch.

'Hij mag blij zijn dat hij nog kan lopen,' zei Paul, en ze moesten allemaal lachen. Rabbit was half kreupel geworden toen hij tijdens een wedstrijd in 1981 om volstrekt duistere redenen vanaf de zijlijn het veld was opgerend, recht voor de voeten van een zekere Lightning Loyd, een snelle en ruige running back die later in Auburn zou spelen maar die op die avond voor Greene County uitkwam, een erg goede speler. Het liep tegen het eind van het derde quarter en de stand was nog gelijk. Loyd maakte zich los voor wat zo te zien een lange run naar een touchdown zou worden. Beide teams waren ongeslagen. Het was een gespannen wedstrijd, en blijkbaar was Rabbit onder de druk bezweken. Tot afschuw (en verrukking) van tienduizend trouwe Messina-supporters stortte Rabbit zich met zijn knokige, broze lichaam in de arena, en ergens bij de 35-yardlijn kwam hij in aanvaring met Lightning. Die botsing werd Rabbit, toen minstens veertig jaar oud, bijna fataal, maar ging bijna ongemerkt aan Loyd voorbij. Een mug op de voorruit.

Rabbit droeg op die dag een kakibroek, een groen Messina-sweatshirt, een groene pet die omhoog vloog en tien meter verder neerkwam, en een paar spitse cowboylaarzen, waarvan de linker losschoot terwijl Rabbit door de lucht vloog. Mensen die dertig rijen hoog zaten, zworen dat ze Rabbits botten hoorden breken.

Als Lightning zijn sprint had voortgezet, zou de controverse lang niet zo groot zijn geweest. Maar die arme jongen was zo geschrokken dat hij over zijn schouder keek om te zien wie of wat hij zojuist onder de voet had gelopen en verloor daardoor zijn evenwicht. Het kostte hem vijftien yards om ten val te komen, en toen hij ergens bij de 20-yardlijn tot rust kwam, was het veld bedekt met gele vlaggen.

Terwijl de trainers over Rabbit heen gebogen stonden en zich afvroegen of ze een ambulance of een dominee moesten bellen, kenden de officials vlug de touchdown aan Greene County toe, een beslissing waar Rake even tegen protesteerde maar waar hij zich ook bij neerlegde. Rake was net zo erg geschrokken als iedereen, en hij maakte zich ook zorgen om Rabbit, die geen spier meer had bewogen sinds hij op de grond terecht was gekomen.

Het kostte twintig minuten om Rabbit op te pakken en hem voorzichtig op de brancard te leggen en in een ambulance te duwen. Toen die wegreed, stonden tienduizend Messina-supporters op om te applaudisseren uit respect. De mensen uit Greene County, die niet wisten of ze ook moesten applaudisseren of boe moesten roepen, bleven stil zitten en probeerden te verwerken wat ze hadden gezien. Ze hadden hun touchdown, maar die arme idioot was blijkbaar dood.

Rake, de motivator bij uitstek, gebruikte het oponthoud om zijn troepen aan te sporen. 'Rabbit slaat nog harder dan jullie, slampampers,' gromde hij tegen zijn defense. 'Kom op, we slaan ze om de oren en brengen de wedstrijdbal naar Rabbit!'

Messina scoorde drie touchdowns in het vierde quarter en won met gemak.

Rabbit overleefde het ook. Zijn sleutelbeen was gebroken en drie lagere wervels waren gebarsten. Zijn hersenschudding was niet ernstig, en mensen die hem goed kenden, beweerden dat ze niets van extra hersenletsel merkten. Onnodig te zeggen dat Rabbit een plaatselijke held werd. Op elk jaarlijks football banket daarna reikte Rake de Rabbittrofee voor de aanval van het jaar uit.

De lichten werden feller naarmate de schemering in duisternis overging. Hun ogen raakten gewend aan de halfverlichte duisternis op Rake Field. Een andere, kleinere groep oud-Spartans was aan het andere eind van de tribunes opgedoken. Hun stemmen waren nauwelijks te horen.

Silo trok weer een flesje open en dronk de helft ervan op.

'Wanneer heb je Rake voor het laatst gezien?' vroeg Rake aan Neely.

'Een paar dagen na mijn eerste operatie,' zei Neely, en ze waren allemaal stil. Hij vertelde iets wat nooit eerder was verteld in Messina. 'Ik lag in het ziekenhuis. Eén operatie gehad, nog drie voor de boeg.'

'Het was een grove overtreding,' mompelde Couch, alsof Neely gerustgesteld moest worden.

'Nou en of,' zei Amos Kelso.

Neely kon hen bijna voor zich zien, naar elkaar toe gebogen in de cafetaria's aan Main Street, lange, sombere gezichten, diepe, ernstige stemmen, terwijl ze het nieuwste incident bespraken dat in één seconde de carrière van hun held had verwoest. Een verpleegster had hem verteld dat ze nog nooit zoveel blijken van medeleven had gezien – kaarten, bloemen, bonbons, ballonnen, tekeningen van hele schoolklassen. En dat alles uit het stadje Messina, drie uur van het ziekenhuis vandaan. Afgezien van zijn ouders en de Tech-coaches wilde Neely geen bezoek ontvangen. Gedurende acht lange dagen verdronk hij zich in zelfbeklag, daarbij geholpen door zoveel pijnstillers als de dokters maar toestonden.

Op een avond kwam Rake zijn kamer in, lang na het bezoekuur. 'Hij probeerde me op te vrolijken,' zei Neely, terwijl hij een slokje bier nam. 'Hij zei dat knieën konden revalideren. Ik deed mijn best om hem te geloven.'

'Had hij het ook over de kampioenschapswedstrijd van 1987?' vroeg Silo.

'Daar hebben we over gepraat.'

Er volgde een lange, pijnlijke stilte waarin ze aan die wedstrijd terugdachten, en aan alle raadsels die daaromheen hingen. Het was het laatste kampioenschap van Messina, en dat alleen al was voldoende aanleiding tot jaren van analyse. Met een achterstand van 31-0 op de helft, murw gebeukt door een veel sterker team uit East Pike, keerden de Spartans naar het veld van A&M terug, waar vijfendertigduizend supporters wachtten. Rake was er niet; hij kwam pas tegen het eind van het vierde quarter.

45

De werkelijke toedracht was vijftien jaar onbekend gebleven, en blijkbaar waren Neely, Silo, Paul en Hubcap Taylor geen van allen van plan de stilte te verbreken.

In de ziekenhuiskamer had Rake eindelijk zijn excuses aangeboden, maar dat had Neely aan niemand verteld. Teague en Couch namen afscheid en jogden weg in de duisternis.

'Je bent hier nooit teruggekomen, hè?' vroeg Jaeger.

'Niet nadat ik geblesseerd was geraakt,' zei Neely.

'Waarom niet?'

'Ik wilde het niet.'

Hubcap dronk in alle rust uit een flesje met iets veel sterkers dan bier. Hij had weinig gezegd, en toen hij sprak, deed hij dat met een dubbele tong. 'Ze zeggen dat je Rake haatte.'

'Dat is niet waar.'

'En dat hij jou haatte.'

'Rake had een probleem met de sterren,' zei Paul. 'Dat wisten we allemaal. Als je te veel prijzen won, te veel records verbeterde, werd Rake jaloers. Zo simpel ligt het. Hij beulde ons af als honden en wilde dat we allemaal geweldig werden, maar wanneer kerels als Neely alle aandacht kregen, werd Rake jaloers.'

'Dat geloof ik niet,' bromde Orley Short.

'Het is waar. En verder wilde hij de prijswinnaars afleveren bij het college dat op een bepaald moment zijn voorkeur had. Hij wilde Neely op State hebben.'

'Hij wilde mij in het legerteam hebben,' zei Silo.

'Gelukkig ging je niet naar het gevangenisteam,' zei Paul.

'Het zou nog kunnen,' zei Silo lachend.

Er kwam weer een auto tot stilstand bij de poort. De koplampen gingen uit, maar er ging geen deur open.

'Dat gevangenisteam wordt onderschat,' zei Hubcap, en ze lachten weer.

'Rake had zijn favorieten,' zei Neely. 'Ik was daar niet een van.'

'Waarom ben je dan hier?' vroeg Orley Short.

'Dat weet ik eigenlijk niet. Om dezelfde reden als jullie, denk ik.'

In Neely's eerste jaar op Tech was hij teruggekomen voor de wedstrijd van het schooljaarfeest. In de rust namen ze ceremonieel afscheid van nummer 19. De staande ovatie ging maar door, zodat ze de kickoff van de tweede helft moesten uitstellen, hetgeen de Spartans vijf yards kostte en voor coach Rake, die met 28-0 voor stond, aanleiding was om te gaan schreeuwen.

Dat was de enige wedstrijd die Neely had gezien sinds hij was vertrokken. Een jaar later lag hij in het ziekenhuis.

'Wanneer hebben ze Rakes bronzen borstbeeld neergezet?' vroeg hij.

'Een paar jaar nadat ze hem hadden ontslagen,' zei Jaeger. 'De vrijwilligers brachten tienduizend dollar bij elkaar en lieten het maken. Ze wilden het voor het begin van een wedstrijd aan hem presenteren, maar hij weigerde.'

'Dus hij is nooit teruggekomen?'

'Nou, min of meer.' Jaeger wees voorbij het clubhuis naar een heuvel in de verte. 'Hij reed voor elke wedstrijd naar Karr's Hill en parkeerde zijn auto op een van die grindwegen. En dan zaten hij en mevrouw Lila daar naar beneden te kijken en luisterden ze naar Buck

Coffey op de radio. Hij was te ver weg om veel te zien, maar hij zorgde wel dat de hele stad wist dat hij het nog volgde. Aan het eind van elke rust draaide het muziekkorps zich naar de heuvel toe en speelde het strijdlied, en dan zwaaiden alle tienduizend toeschouwers naar Rake.'

'Dat was hartstikke goed,' zei Amos Kelso.

'Rake wist alles wat er gebeurde,' zei Paul. 'Rabbit belde hem twee keer per dag met de laatste nieuwtjes.'

'Was hij een kluizenaar?' vroeg Neely.

'Hij leefde op zichzelf,' zei Amos. 'In elk geval de eerste drie of vier jaar. Er gingen geruchten dat hij uit de stad weg wilde, maar geruchten zeggen hier niet veel. Hij ging elke morgen naar de mis, maar daar kom je in Messina niet veel mensen tegen.'

'De laatste jaren kwam hij meer buiten de deur,' zei Paul. 'Hij begon golf te spelen.'

'Was hij verbitterd?'

De anderen dachten over die vraag na. 'Ja, hij was verbitterd,' zei Jaeger.

'Ik denk het niet,' zei Paul. 'Hij gaf zichzelf de schuld.'

'Er gaat een gerucht dat ze hem naast Scotty gaan begraven,' zei Amos.

'Dat heb ik ook gehoord,' zei Silo, erg diep in gedachten verzonken.

Een autodeur sloeg dicht en er stapte iemand de baan op. Een potige man in een uniform liep met een arrogante houding om het veld heen en ging naar de tribune.

'Moeilijkheden op komst,' mompelde Amos.

'Dat is Mal Brown,' zei Silo zachtjes.

'Onze illustere sheriff,' zei Paul tegen Neely.

'Nummer 31?'

'Ja.'

Neely's nummer 19 was het laatste waarvan afscheid was genomen. Nummer 31 was het eerste geweest. Mal Brown had in het midden van de jaren zestig gespeeld, in de tijd van de Streak. Veertig kilo en 35 jaar geleden was hij een agressieve tailback geweest, die de bal ooit 54 keer in een wedstrijd had meegedragen, nog steeds een record voor Messina. Een snel huwelijk maakte een eind aan zijn collegecarrière voordat die goed en wel begonnen was, en na een snelle scheiding werd hij naar Vietnam gestuurd, nog net op tijd voor het Tet-offensief van 1968. Neely had het grootste deel van zijn kindertijd verhalen over de grote Mal Brown gehoord. Toen Neely in zijn eerste jaar zat, hield coach Rake een snelle peptalk voor een wedstrijd. Hij vertelde tot in detail dat Mal Brown eens in de tweede helft van het conference-kampioenschap tweehonderd yards had gescoord, en dat met een gebroken enkel! Rake was gek op verhalen over spelers die het veld weigerden te verlaten al hadden ze gebroken botten en bloedende wonden of allerlei gruwelijke blessures.

Jaren later zou Neely horen dat Mals gebroken enkel waarschijnlijk niet meer dan een ernstige verstuiking was geweest, maar in de loop van de tijd werd de legende steeds groter, in elk geval in Rakes herinnering.

De sheriff liep voor de tribune langs en praatte met de anderen die hun tijd zaten te beiden. Toen klom hij dertig rijen en kwam hij, bijna hijgend, bij Neely's groepje aan. Hij sprak tegen Paul, en toen tegen Amos, Silo, Orley, Hubcap, Randy – hij kende hen allemaal bij hun voornaam of bijnaam. 'Ik hoorde dat je in de

stad was,' zei hij tegen Neely toen ze elkaar de hand
schudden. 'Dat is lang geleden.'

'Ja,' was het enige dat Neely kon zeggen. Voorzover hij
zich herinnerde, had hij Mal Brown nooit ontmoet.
Mal was nog geen sheriff geweest toen Neely in Messina woonde. Neely kende de legende wel maar de
man niet.

Dat deed er niet toe. Ze behoorden allebei tot de broederschap.

'Het is donker, Silo. Waarom ben je geen auto's aan
het stelen?' zei Mal.

'Te vroeg.'

'Ik krijg je nog wel te pakken, weet je dat?'

'Ik heb advocaten.'

'Geef me een biertje. Ik heb geen dienst.' Silo gaf hem
een flesje bier en Mal dronk het helemaal leeg. 'Ik kom
net van Rakes huis,' zei hij, en hij smakte met zijn lip-
pen alsof hij in geen dagen iets vloeibaars had binnen-
gekregen. 'Nog geen verandering. Ze wachten op het
einde.'

Niemand had commentaar op dit nieuws.

'Waar heb je gezeten?' vroeg Mal aan Neely.

'Nergens.'

'Niet liegen. In tien jaar tijd heeft niemand je hier gezien, misschien wel langer.'

'Mijn ouders zijn naar Florida verhuisd. Ik had geen
reden om hier terug te komen.'

'Je bent hier opgegroeid. Je komt hier vandaan. Is dat
geen reden?'

'Misschien voor jou wel.'

'Lul niet. Je hebt hier veel vrienden. Het is niet goed
om weg te lopen.'

'Neem nog een biertje, Mal,' zei Paul.

Silo gaf er vlug eentje door, en Mal pakte het aan. Na een minuut of zo vroeg hij: 'Heb je kinderen?'

'Nee.'

'Hoe is het met je knie?'

'Die is verwoest.'

'Sorry.' Een grote slok. 'Wat een cheap shot. Je was duidelijk out of bounds.'

'Ik had in de pocket moeten blijven,' zei Neely. Hij ging verzitten en wilde dat hij van onderwerp kon veranderen. Hoe lang zouden ze in Messina nog praten over dat cheap shot dat zijn footballcarrière had verwoest?

Na nog een grote slok zei Mal zachtjes: 'Man, jij was de beste.'

'Laten we over wat anders praten,' zei Neely. Hij was hier nu al bijna drie uur en wilde plotseling graag weg, al had hij geen idee waar hij heen kon gaan. Twee uur eerder was er sprake van geweest dat hij bij de Curry's zou gaan eten, maar daar was niets van terechtgekomen.

'Goed. Wat dan?'

'Laten we het over Rake hebben,' zei Neely. 'Wat was zijn slechtste team?'

Dat zette hen aan het denken; alle flesjes gingen tegelijk omhoog.

Mal sprak als eerste. 'In 1976 verloor hij vier wedstrijden. Mevrouw Lila zweert dat hij zichzelf die hele winter tot eenzame opsluiting heeft veroordeeld. Hij ging niet meer naar de mis. Hij weigerde zich in het openbaar te vertonen. Hij zette het team op een keihard conditieprogramma, beulde ze de hele zomer af, liet ze in augustus drie keer per dag trainen. Maar toen ze in 1977 weer begonnen, was het een ander team. Ze wonnen bijna het kampioenschap van de staat.'

'Hoe kon Rake nou vier wedstrijden in één seizoen verliezen?' vroeg Neely.

Mal leunde op de rij stoelen achter hem. Nam een slok. Hij was verreweg de oudste Spartan die daar aanwezig was, en omdat hij in dertig jaar geen wedstrijd had overgeslagen, had hij ieders aandacht. 'Nou, ten eerste had het team absoluut geen talent. De houtprijs vloog in de zomer van 1976 omhoog, en alle houthakkers stapten uit het team. Je weet hoe ze zijn. Toen brak de quarterback zijn arm, en er was geen goede invaller. We speelden dat jaar tegen Harrisburg en gooiden niet één pass. En als zij dan elke play alle elf jouw kant op komen, dan wordt het er niet makkelijker op. Het was een ramp.'

'We verloren van Harrisburg?' vroeg Neely ongelovig.

'Ja, de enige keer in de afgelopen 41 jaar. En ik zal je vertellen wat die stomme klootzakken deden. Op het eind van de wedstrijd stonden ze voor, grote score, 36-0 of zoiets. De ergste avond in de geschiedenis van het football in Messina. Belachelijk genoeg hadden ze zich altijd onze rivalen gevoeld, en nu dachten ze dat ze ons er voorgoed onder hadden gekregen. En dus besloten ze de score nog wat op te voeren. Met nog een paar minuten te gaan gooiden ze een reverse pass, op derde en kort. Weer een touchdown. Ze waren door het dolle heen, weet je, ze lieten de Messina Spartans niet met rust. Rake bleef kalm, hij schreef het ergens in letters van bloed en ging op zoek naar houthakkers. Het jaar daarop speelden we hier tegen Harrisburg, groot publiek, woedend publiek, en we scoorden zeven touchdowns in de eerste helft.'

'Ik kan me die wedstrijd nog herinneren,' zei Paul. 'Ik zat in de eerste klas. 48-0.'

'47,' zei Mal trots. 'We scoorden vier keer in het derde quarter, en Rake liet ze de ene pass na de andere gooi-en. Hij kon geen vervangers het veld in sturen, want die had hij niet, maar hij hield de bal in de lucht.'

'De finale?' vroeg Neely.

'94-0. Nog steeds een Messina-record. De enige keer die ik ooit heb meegemaakt dat Eddie Rake een score ging opvoeren.'

De groep aan het noordelijke eind barstte in lachen uit omdat iemand klaar was met een verhaal, ongetwijfeld over Rake of een wedstrijd van lang geleden. Silo was erg stil geworden sinds de sheriff erbij zat, en toen het juiste moment aanbrak, zei hij: 'Nou, ik moet er eens vandoor. Curry, bel me als je iets over Rake hoort.'

'Doe ik.'

'Tot morgen,' zei Silo tegen de anderen. Hij stond op, rekte zich uit en greep naar een laatste flesje.

'Ik heb een lift nodig,' zei Hubcap.

'Is het weer zo laat op de avond, Silo?' zei Mal. 'Tijd voor alle goede dieven om uit de goot te kruipen?'

'Ik hou er een paar dagen mee op,' zei Silo. 'Ter ere van coach Rake.'

'Wat ontroerend. Dan zal ik de jongens van de nacht-ploeg maar naar huis sturen, als jij toch niet in actie komt.'

'Doe dat, Mal.'

Silo, Hubcap en Amos Kelso slenterden de tribune af. De metalen treden rammelden onder hun voeten.

'Hij zit binnen een jaar weer in de bak,' zei Mal, terwijl ze hen over de baan zagen lopen. 'Als je maar zorgt dat jouw bank zich aan de regels houdt, Curry.'

'Maak je geen zorgen.'

Neely had genoeg gehoord. Hij stond op en zei: 'Ik ga ook maar eens.'

'Ik dacht dat je bij ons kwam eten,' zei Paul.

'Ik heb nu geen trek. Morgenavond?'

'Mona zal teleurgesteld zijn.'

'Zeg maar dat ze de kliekjes moet bewaren. Goeden-avond, Mal, Randy. Ik zie jullie vast wel gauw terug.'

Zijn knie was stijf, en toen Neely de trap afging, deed hij zijn uiterste best om niet mank te lopen, om niet te laten blijken dat hij in enig opzicht minder was dan ze zich hem herinnerden. Op de baan, achter de Spartan-bank, zwenkte hij te snel opzij en ging hij bijna door zijn knie. De knie boog door en werd op wel tien ver-schillende plekjes door felle pijnscheuten getroffen. Omdat het zo vaak gebeurde, wist hij dat hij dat been net een beetje moest optrekken en al zijn gewicht vlug naar zijn rechterbeen moest verplaatsen. Op die ma-nier kon hij doorlopen alsof er niets aan de hand was.

Woensdag

In de etalage van elke winkel rond het Messinaplein hing een groot, groen wedstrijdschema, alsof de klanten en voorbijgangers anders zouden vergeten dat de Spartans elke vrijdagavond speelden. En aan elke lantaarnpaal voor de winkels hing een groen-met-wit spandoek. Die spandoeken werden altijd eind augustus opgehangen en gingen pas weer naar beneden als het seizoen voorbij was. Neely herinnerde zich dat nog uit de tijd dat hij met zijn fiets over de trottoirs reed. Er was niets veranderd. De grote groene wedstrijdschema's waren elk jaar hetzelfde – de wedstrijden in grote letters, omringd door de glimlachende gezichten van de spelers, en langs de onderkant kleine advertenties van alle plaatselijke sponsors, waaronder letterlijk alle ondernemingen in Messina. Ze stonden allemaal op het wedstrijdschema vermeld.

Toen hij Renfrow's cafetaria binnenkwam, één stap achter Paul, haalde Neely diep adem en zei hij tegen zichzelf dat hij moest glimlachen, beleefd moest zijn – per slot van rekening hadden deze mensen hem ooit aanbeden. De walm van dingen die lagen te bakken, kwam hem bij de deur tegemoet, en meteen daarop hoorde hij in de verte pannen rammelen. Die geuren en geluiden waren niet veranderd sinds de tijd dat zijn vader op zaterdagochtenden met hem naar Renfrow ging voor warme chocolademelk. Bij Renfrow lieten de gasten de laatste Spartans-overwinning weer tot leven komen.

In het seizoen mocht elke footballspeler één keer per week gratis bij Renfrow komen eten, een royaal gebaar dat pijnlijk op de proef werd gesteld toen de school geïntegreerd werd. Zou Renfrow hetzelfde privilege toekennen aan zwarte spelers? Dat is ze geraaien, was het consigne van Eddie Rake, en de cafetaria werd een van de eerste in de staat die vrijwillig tot integratie overging. Paul praatte even met de meesten van de mannen die over hun koffie gebogen zaten, maar hij liep door naar een nis bij het raam. Neely knikte en probeerde elk oogcontact te vermijden. Toen ze op hun plaatsen gingen zitten, was het geheim al bekend. Neely Crenshaw was in de stad terug!

De muren waren bedekt met oude wedstrijdschema's, ingelijste krantenberichten, vaantjes, gesigneerde shirts en honderden foto's – teamfoto's netjes in chronologische volgorde boven het buffet, actiefoto's uit de krant, en grote zwartwitfoto's van de beroemdste Spartans. Die van Neely hing boven de kassa, een foto van hem in zijn laatste jaar, poserend met de bal, klaar om in actie te komen, geen helm, geen glimlach, een en al zakelijkheid en arrogantie en ego, lang, wild haar, een stoppelbaard van drie dagen en pluizig vlashaar, ogen die ergens in de verte keken, ongetwijfeld dromend van een glorieuze toekomst.

'Je zag er toen nog zo leuk uit,' zei Paul.

'Het lijkt net gisteren, maar tegelijk is het net een droom.'

In het midden van de langste muur was een gedenkplaats voor Eddie Rake gemaakt – een grote kleurenfoto waarop hij naast de doelpalen stond, en daaronder het record – 418 overwinningen, 62 nederlagen, 13 staatskampioenschappen.

Volgens geruchten uit de vroege ochtend klampte Rake zich nog aan het leven vast. En de stad klampte zich nog aan hém vast. Er werd op gedempte toon gepraat

– geen gelach, geen grappen, geen lange verhalen vol visserslatijn, geen gekibbel over politiek.

Een tenger serveerstertje in een groen-met-wit pakje bracht koffie en nam hun bestellingen op. Ze kende Paul, maar herkende de man die bij hem was niet.

'Is Maggie er nog?' vroeg Neely.

'Verpleegtehuis,' zei Paul.

Maggie Renfrow had tientallen jaren gloeiend hete koffie en vettige eieren geserveerd. Ze was ook een genadeloze verspreider van verhalen en geruchten over het Spartans-team geweest. Omdat ze gratis maaltijden aan de spelers had verstrekt, was het haar gelukt wat iedereen in Messina probeerde – een beetje dichter bij de jongens en hun coach komen.

Een man kwam naar Neely toe en knikte wat verlegen naar hem. 'Ik wilde je alleen even gedag zeggen,' zei hij, en hij stak zijn rechterhand uit. 'Het doet me goed je terug te zien, na al die tijd. Je was een bijzonder iemand...'

Neely pakte zijn hand vast en zei: 'Bedankt.' Het was een korte handdruk en Neely verbrak meteen het oogcontact. De man begreep het en trok zich terug. Niemand volgde zijn voorbeeld.

Sommigen keken elkaar even aan of staarden naar Neely, maar de meesten bogen zich over hun koffie en negeerden hem. Per slot van rekening had hij hen de afgelopen vijftien jaar genegeerd. De mensen van Messina beschouwden hun helden als hun bezit, maar het werd wel van die helden verwacht dat ze ook van de nostalgie genoten.

'Wanneer heb je Screamer voor het laatst gezien?' vroeg Paul.

Neely snoof en keek uit het raam. 'Niet meer sinds college.'

'Geen woord?'

'Eén brief, jaren geleden. Duur briefpapier van een of andere gelegenheid in Hollywood. Ze schreef dat ze de stad stormenderhand veroverde. Ze schreef dat ze veel beroemder zou worden dan ik ooit had gedacht te worden. Gemene dingen. Ik heb niet geantwoord.'

'Ze kwam op de reünie die we na tien jaar hebben gehouden,' zei Paul. 'Een actrice, vel over been, kleding die niemand hier ooit had gezien. Ze sloofde zich nogal uit. Liet links en rechts namen vallen, producer zus, regisseur zo, een stel acteurs waar ik nooit van had gehoord. Ik kreeg de indruk dat ze meer tijd in bed doorbracht dan voor de camera.'

'Dat is Screamer.'

'Jij kunt het weten.'

'Hoe zag ze eruit?'

'Moe.'

'Namen van films?'

'Nogal wat, en ze veranderden met het uur. Later bespraken we wat ze tegen ons had gezegd, en niemand had een film gezien waarvan ze zei dat ze erin had gespeeld. Het was allemaal show. Typisch Screamer. Behalve dat ze nu Tessa heet. Tessa Canyon.'

'Tessa Canyon?'

'Ja.'

'Dat klinkt als een pornoster.'

'Ik denk dat ze die kant opging.'

'Het arme ding.'

'Het arme ding?' herhaalde Paul. 'Ze is een ellendige, egocentrische idioot die alleen maar een beetje dicht bij de roem is gekomen toen ze Neely Crenshaws vriendin was.'

'Ja, maar die benen.'

Ze glimlachten beiden een hele tijd. De serveerster bracht pannenkoeken en worstjes en schonk hun kopjes nog eens vol. Terwijl Paul zijn pannenkoek in ahornstroop liet drijven, begon hij weer te praten. 'Twee jaar geleden hadden we een groot bankierscongres in Las Vegas. Mona was bij me. Ze verveelde zich en ging naar haar kamer. Ik verveelde me ook en maakte 's avonds laat een wandeling over de Strip. Ik dook een van de oudere casino's in, en wie denk je dat ik daar zag?'

'Tessa Canyon.'

'Tessa bracht drank rond, een cocktailserveerster in zo'n strak klein pakje, laag van voren en hoog van achteren. Gebleekt haar, dikke laag make-up, zo'n tien kilo erbij. Ze leek ouder dan dertig. Maar weet je, ze gedroeg zich nog steeds als een actrice. Als ze bij haar klanten aan de tafels kwam, zette ze die glimlach op en sprak ze met zo'n kirrend stemmetje, alsof ze wilde zeggen: "Neem me mee naar boven." Die gevatte opmerkingen van haar. Dat botsen en wrijven. Schaamteloos flirten met een stelletje dronken kerels. Die vrouw hunkert gewoon naar liefde.'

'Ik deed mijn best.'

'Ze is een zielig geval.'

'Daarom heb ik haar gedumpt. Ze komt toch niet terug voor de begrafenis?'

'Misschien wel. Als er een kans is dat ze jou tegen het lijf loopt, ja, dan zal ze er zijn. Aan de andere kant ziet ze er niet zo goed uit, en bij Screamer draait alles om het uiterlijk.'

'Wonen haar ouders hier nog?'

'Ja.'

Een dikke man met een John Deere-pet schuifelde naar hun tafel alsof hij zich op verboden terrein begaf. 'Ik wilde je alleen even gedag zeggen, Neely,' zei hij, nog net niet met een buiging. 'Tim Nunley, van de Ford-garage,' zei hij, en hij stak nadrukkelijk zijn hand uit, alsof hij bang was dat die genegeerd zou worden. Neely schudde hem en glimlachte. 'Ik werkte vroeger aan de auto's van je vader.'

'Ja, dat weet ik nog,' loog Neely, maar die leugen was de moeite waard. Nunleys glimlach werd twee keer zo breed en hij kneep nog harder in Neely's hand.

'Dat dacht ik al,' zei Nunley, en hij keek zelfvoldaan naar de anderen aan zijn tafel. 'Ik ben blij dat je weer eens terug bent. Jij was de grootste.'

'Dank je,' zei Neely. Hij liet Nunleys hand los en pakte een vork. Nunley trok zich terug, nog steeds net niet met een buiging. Toen pakte hij zijn jas en verliet het restaurant.

De gesprekken aan de tafels waren gedempt, alsof de wake al begonnen was. Paul at zijn mond leeg en boog zich ver naar voren. 'Vier jaar geleden hadden we een goed team. We wonnen de eerste negen wedstrijden. Ongeslagen. Ik zat hier en ik at hetzelfde als wat ik nu eet, op een vrijdagmorgen, een wedstrijddag, en ik zweer het je: de gesprekken gingen die ochtend over de streak. En dan niet over de oude streak, maar over een nieuwe. Deze mensen waren klaar voor een streak. Niet een geslaagd seizoen, of een conference-titel, of zelfs een staatskampioenschap – dat stelde allemaal niets voor. Deze stad wil tachtig, negentig, misschien zelfs honderd overwinningen op een rij.'

Neely keek vlug om en boog zich toen weer over zijn ontbijt. 'Ik heb het nooit begrepen,' zei hij. 'Het zijn aardige mensen – monteurs, vrachtwagenchauffeurs, verzekeringsagenten, bouwvakkers, misschien een advocaat, misschien een bankier. Degelijke mensen uit de provincie, maar niet bepaald mensen die de wereld op zijn grondvesten doen schudden. Ik bedoel, niemand hier verdient een miljoen dollar. Maar ze hebben er wel recht op dat hun club elk jaar kampioen van de staat wordt, nietwaar?'

'Precies.'

'Dat snap ik niet.'

'Ze willen iets hebben om over op te scheppen.'

'Geen wonder dat ze Rake verafgoden. Hij zette dit stadje op de kaart.'

'Eet wat,' zei Paul. Een man met een vuil schort kwam met een bruine map naar hen toe. Hij stelde zich voor als Maggie Renfrows broer, en hij was hier nu de kok. Hij maakte de map open en er zat een grote kleurenfoto van Neely op Tech in. 'Maggie heeft altijd gewild dat je deze foto signeerde,' zei hij.

Het was een schitterende foto van Neely in actie, gehurkt achter de center. Hij riep een play af, bestudeerde de defense en was klaar om in actie te komen. In de rechterbenedenhoek was een paarse helm te zien, en Neely besefte dat de tegenstander A&M was. Deze foto, die hij nooit eerder had gezien, was enkele minuten voor zijn noodlottige blessure gemaakt. 'Goed,' zei hij, en hij nam een zwarte viltstift van de kok aan.

Hij zette zijn naam op de bovenkant en keek een hele

tijd in de ogen van een jonge, onbevreesde quarterback, een ster die zijn tijd op een college beidde terwijl de NFL wachtte. Hij kon het Tech-publiek van die dag weer horen, 75.000 koppen sterk en hunkerend naar een overwinning, trots op hun ongeslagen team, opgewonden omdat ze voor het eerst in vele jaren een echte Amerikaanse held als quarterback hadden.

Plotseling verlangde hij naar die tijd terug.

'Mooie foto,' kon hij met enige moeite uitbrengen, en hij gaf hem aan de kok terug, die hem aanpakte en aan een spijker hing, onder de grotere foto van Neely.

'Laten we hier weggaan,' zei Neely, en hij veegde zijn mond af. Hij legde wat geld op de tafel en ze begonnen zich vlug uit de voeten te maken. Hij knikte, glimlachte beleefd naar de gasten en zag kans om weg te komen zonder dat iemand hem tegenhield.

'Waarom voel je je zo slecht op je gemak bij die mensen?' vroeg Paul toen ze buiten waren.

'Ik wil niet over football praten. Ik wil niet horen hoe geweldig ik was.'

Ze reden door de stille straten bij het plein, langs de kerk waar Neely gedoopt was, en de kerk waar Paul getrouwd was, en het mooie splitlevelhuis in 10th Street waar Neely van zijn achtste tot zijn vertrek naar Tech had gewoond. Zijn ouders hadden het verkocht aan een echte yankee die naar het stadje was gehaald om leiding te geven aan de papierfabriek. Ze reden langs Rakes huis, langzaam, alsof ze het laatste nieuws zouden horen als ze maar rustig genoeg voorbij zouden rijden. Het garagepad stond vol auto's, de meeste met nummerborden van buiten de staat, Rakes familie en goede vrienden, namen ze aan. Ze reden langs het park, waar ze als kinderen partijtjes honkbal en football hadden gespeeld.

En ze haalden herinneringen op. Er was een verhaal dat inmiddels een legende was geworden in Messina. Natuurlijk ging het over Rake. Neely, Paul en een stel vrienden waren in het zand een ruig partijtje football aan het spelen, toen ze in de verte een man zagen staan, dicht bij het vangscherm van het honkbalveld. De man keek aandachtig naar hen, en toen ze klaar waren, kwam hij naar hen toe en stelde zich voor als coach Eddie Rake. De jongens waren sprakeloos. 'Jij hebt een goeie arm, jongen,' zei hij tegen Neely, die niets terug kon zeggen. 'Je voeten staan me ook wel aan.'

Alle jongens keken naar Neely's voeten.

'Is je moeder net zo lang als je vader?' vroeg coach Rake.

'Bijna,' kon Neely uitbrengen.

'Goed. Jij wordt een geweldige quarterback bij de Spartans.' Rake glimlachte naar de jongens en liep weg.

Neely was toen elf jaar oud geweest.

Ze stopten bij de begraafplaats.

In de aanloop tot het seizoen 1992 maakte iedereen in Messina zich grote zorgen. Het jaar daarvoor had het team drie wedstrijden verloren, een ramp waarover ze hadden gemopperd onder de koffie bij Renfrow, bij de rubberen kip op de Rotary-lunches, bij hun goedkope bier in de tentjes buiten de stad. En er hadden weinig laatstejaars in dat team gezeten, altijd een slecht teken. Het was altijd een opluchting als zwakke spelers eindexamen deden.

Rake stond onder druk, maar hij liet daar niets van blijken. Inmiddels had hij de Spartans drie decennia gecoacht en hij had alles al meegemaakt. Omdat hij zijn laatste staatskampioenschap, het dertiende, in 1987 had behaald, had het stadje nu een droogte van drie jaar achter de rug. Ze hadden wel ergere dingen meegemaakt. Ze waren verwend en wilden honderd overwinningen op een rij, maar na 34 jaar kon het Rake niet meer zoveel schelen wat ze wilden.

Het team van 1992 had weinig talent; iedereen wist dat. De enige ster was Randy Jaeger, die corner en wide-out stond, waar hij alles ving wat de quarterback naar hem gooide, en dat was niet erg veel.

In een stadje ter grootte van Messina kwam het talent in golven. Wanneer het goed ging, zoals in 1987 met Neely, Silo, Paul, Alonzo Taylor en vier gemene houthakkers in de defense, waren de scores buiten alle proporties. Maar Rake was vooral goed in het winnen met spelers die klein en langzaam waren. Hij werkte met schamel talent en behaalde dan evengoed scores die buiten alle proporties waren. Maar hij liet de zwakkere spelers harder werken, en maar weinig teams hadden ooit de intensiteit meegemaakt die Rake in augustus 1991 op het veld zette.

Na een slechte scrimmage op een zaterdagmiddag schold Rake het team de huid vol en kondigde hij een extra training op zondagmorgen aan, iets wat hij zelden deed omdat kerkgangers zich er vroeger aan hadden gestoord. Zondagmorgen om acht uur, zodat de jongens nog tijd hadden om naar de dienst te gaan, als ze daartoe in staat waren. Rake maakte zich vooral druk om wat hij als hun gebrekkige conditie zag, al was dat absurd, want hardlopen was voor elke Messina-speler bijna dagelijks werk.

Korte broek, schoudervullingen, gymschoenen, helmen, geen bal, alleen conditietraining. Het was om acht uur al tweeëndertig graden, vochtig en benauwd en geen wolkje aan de hemel. Ze deden strekoefeningen en renden een kilometer over de baan, alleen om de spieren los te maken. Alle spelers waren drijfnat van het zweet, en Rake gaf opdracht nog een kilometer te lopen.

Nummer twee op de lijst van gevreesde folteringen, vlak achter de Spartan-marathon, was het tribunerennen. Elke speler wist wat dat betekende, en als Rake 'tribune' riep, wilde het halve team ermee ophouden.

De spelers vormden een lange, onwillige rij achter Randy Jaeger, hun captain, en begonnen langzaam over de baan te draven. Toen de rij bij de bezoekerstribune kwam, ging Jaeger een hek door en begon hij de tribune op te gaan, twintig rijen hoog. Hij draafde langs de bovenreling en ging twintig rijen omlaag naar de volgende sectie. Acht secties aan die kant, toen de baan weer op, om het veld heen naar de thuiskant. Vijftig rijen omhoog, langs de bovenreling, vijftig rijen omlaag, op en neer, op en neer, op en neer, opnieuw acht secties, en dan de baan weer op voor een volgende ronde.

Na één zo'n verschrikkelijke ronde begonnen sommigen achterop te raken, en Jaeger, die eeuwig door kon rennen, lag ver voor. Rake stond mopperend langs de baan, zijn fluitje aan zijn hals, schreeuwend naar de achterblijvers. Hij genoot van het geluid van vijftig spelers die de tribunes op en af stampten. 'Jullie hebben geen conditie,' zei hij, net hard genoeg om verstaanbaar te zijn. 'Het sloomste stelletje dat ik ooit heb gezien,' gromde hij weer, nauwelijks hoorbaar. Rake stond bekend om zijn gemopper, dat altijd te horen was.

Na de tweede ronde viel een tackle in het gras en begon over te geven. De zwaardere spelers liepen trager en trager.

Scotty Reardon was een tweedejaars Special Teams-speler die in die maand augustus vierenzestig kilo woog; toen er sectie op hem werd gepleegd, was dat nog maar achtenvijftig. In de derde ronde tribunes zakte hij tussen de derde en vierde rij aan de thuiskant in elkaar en kwam niet meer bij bewustzijn.

Omdat het zondagmorgen was en ze alleen conditietraining hadden, waren de twee teamtrainers er niet bij. Rake had dat niet gewild. Er was ook geen ambulance in de buurt. De jongens vertelden later dat Rake het hoofd van Scotty op zijn schoot hield terwijl ze een eeuwigheid wachtten tot ze een sirene hoorden. Hij was dood op de tribune, en in elk geval was hij dood bij aankomst in het ziekenhuis. Een warmteberoerte.

Paul vertelde het verhaal toen ze over de slingerende, schaduwrijke paden van de begraafplaats liepen. In een nieuwer gedeelte, op een helling, waren de grafstenen kleiner en stonden ze meer in het gelid. Hij knikte naar een van de stenen en Neely knielde neer om te kijken. Randall Scott Reardon. Geboren 20 juni 1977. Overleden 21 augustus 1992.

'En ze gaan hem daar begraven?' Neely wees naar de lege plek naast Scotty.

'Dat is een gerucht,' zei Paul.

'In dit stadje zijn ze altijd goed geweest in geruchten.'

Ze liepen een paar stappen naar een smeedijzeren bankje onder een kleine populier, gingen zitten en keken naar Scotty's grafsteen. 'Wie had het lef om hem te ontslaan?' vroeg Neely.

'De verkeerde jongen ging dood. Scotty's familie had wat geld, uit de houtindustrie. Zijn oom, John Reardon, was in 1989 gekozen tot schoolopziener van het district. Een gewiekste, gladde politicus die in hoog aanzien stond, en ook de enige met het gezag om Eddie Rake te ontslaan. En hij ontsloeg hem. Je kunt je wel voorstellen dat heel Messina diep geschokt was door het nieuws van Scotty's dood, en toen de bijzonderheden naar buiten kwamen, werd er veel gemopperd over Rake en zijn methoden.'

'Nog een geluk dat hij ons niet allemaal heeft gedood.'

'Die maandag is er sectie verricht – een duidelijk geval van warmteberoerte. Geen aandoeningen die al langer bestonden. Nergens een defect te vinden. Een kerngezonde jongen van vijftien gaat op zondagmorgen om halfacht naar een loeizware training van twee uur, en hij komt niet meer thuis. Voor het eerst in de geschiedenis van dit stadje vroegen mensen: "Waarom moeten die jongens eigenlijk in die hitte hardlopen tot ze ervan kotsen?"'

'En het antwoord was?'

'Rake had geen antwoorden. Rake zei niets. Rake bleef thuis en probeerde daar de storm uit te zitten. Veel mensen, ook veel van zijn spelers, dachten: nou, nu heeft Rake eindelijk een jongen doodgemaakt. Maar veel fanatiekelingen zeiden: "Ach, die jongen was gewoon niet hard genoeg om een Spartan te zijn." De stad was verdeeld. De sfeer werd grimmig.'

'Ik mag die Reardon wel,' zei Neely.

'Hij is hard. Laat op een maandagavond belde hij Rake en ontsloeg hem. Op dinsdag was alles in rep en roer. Natuurlijk kon Rake er niet tegen dat hij in enig opzicht een nederlaag leed, en dus sloeg hij aan het telefoneren. Hij belde de vrijwilligers.'

'Had hij geen spijt?'

'Wie weet hoe hij zich voelde? De begrafenis was een nachtmerrie, zoals je je wel kunt voorstellen. Al die kinderen die huilden. Sommigen vielen flauw. De spelers droegen groene wedstrijdshirts. Op de ceremonie bij het graf speelde het muziekkorps hier op deze plaats. Iedereen keek naar Rake, die er erbarmelijk uitzag.'

'Rake was een groot acteur.'

'En iedereen wist dat. Het feit dat hij nog geen vierentwintig uur geleden was ontslagen, maakte de begrafenis extra dramatisch. Het was een grote show, en iedereen kwam.'

'Ik wilde dat ik hier geweest was.'

'Waar was je?'

'In de zomer van 1992? Ergens in het westen. Waarschijnlijk in Vancouver.'

'De vrijwilligers probeerden op woensdag een grote vergadering in de sporthal van de school te organiseren. Reardon zei: "Niet op het schoolterrein." En dus gingen ze naar het veteranengebouw en maakten er een complete Eddie Rake-revival van. Sommige heethoofden dreigden de geldkraan dicht te draaien, de wedstrijden te boycotten, betogingen te houden voor Reardons kantoor, zelfs een nieuwe school te beginnen, waar ze Rake waarschijnlijk als een god zouden aanbidden.'

'Was Rake erbij?'

'Nee. Hij stuurde Rabbit. Hij bleef liever thuis zitten telefoneren. Hij geloofde echt dat hij genoeg druk kon uitoefenen om zijn baan terug te krijgen. Maar Reardon hield voet bij stuk. Hij ging naar de assistenten en benoemde Snake Thomas tot nieuwe coach. Snake weigerde. Reardon ontsloeg hem. Donnie Malone zei nee. Reardon ontsloeg hem. Quick Upchurch zei nee. Reardon ontsloeg hem.'

'Ik vind die kerel steeds sympathieker.'

'Ten slotte zeiden de gebroeders Griffin dat ze het wel een tijdje wilden doen, totdat er iemand gevonden was. Ze hadden eind jaren zeventig voor Rake gespeeld.'

'Ik kan me ze herinneren. De pecanboomgaard.'

'Ja, die. Geweldige spelers, aardige jongens, en omdat Rake nooit iets veranderde, kenden ze het systeem, de plays, de meeste spelers. Het werd vrijdagavond, de eerste wedstrijd van het seizoen. We speelden tegen Porterville, en de boycot was begonnen. Nu was er het probleem dat niemand de wedstrijd wilde missen. Rakes medestanders, die waarschijnlijk in de meerderheid waren, konden niet wegblijven, omdat ze wilden dat het team werd afgeslacht. De echte supporters waren er om de goede redenen. De tribunes zaten stampvol, zoals altijd, al waren er twee kampen die tegen elkaar in schreeuwden. De spelers waren tot het uiterste gespannen. Ze droegen de wedstrijd aan Scotty op en wonnen met vier touchdowns. Een geweldige avond. Triest, vanwege Scotty, en ook triest omdat het Rake-tijdperk blijkbaar voorbij was, maar winnen is alles.'

'Wat een harde bank is dit.' Neely stond op. 'Laten we gaan lopen.'

'Intussen had Rake een advocaat in de arm genomen. Er werd een aanklacht ingediend; de gemoederen liepen hoog op, Reardon hield voet bij stuk, en al was de stad ernstig verdeeld, toch kwam iedereen elke vrijdagavond naar de wedstrijd. Het team speelde met meer lef dan ik ooit heb meegemaakt. Jaren later zei een jongen die ik ken dat het een grote opluchting was om football te spelen voor de lol, en niet uit angst.'

'Hoe mooi is dat?'

'Dat hebben wij nooit geweten.'

'Nee, wij niet.'

'Ze wonnen de eerste acht wedstrijden. Ongeslagen. Het was een tijd van lef en trots. Er was al sprake van het staatskampioenschap. Er was al sprake van een nieuwe streak. Er was sprake van dat we de Griffins een smak geld zouden geven om een nieuwe dynastie op te bouwen. Al die onzin.'

'En toen verloren ze?'

'Natuurlijk. Het is football. Als jongens denken dat ze goed zijn, gaan ze onderuit.'

'Wie deed het?'

'Hermantown.'

'Nee, niet Hermantown! Dat is een basketbalschool.'

'Ze deden het hier in de stad, voor tienduizend toeschouwers. De ergste wedstrijd die ik ooit heb gezien. Geen trots, geen lef. Je hoefde ze alleen maar het volgende krantenbericht te laten zien. Een streak? Vergeet het maar. Kampioen van de staat? Vergeet het maar. Zullen we de Griffins ontslaan? Zullen we Eddie Rake terughalen? Het ging allemaal redelijk goed zolang we wonnen, maar die ene nederlaag bracht een verdeeldheid in deze stad teweeg die nog jaren zou blijven bestaan. En toen we de week daarop ook verloren, kwamen we niet eens meer in aanmerking voor de playoffs. De Griffins namen meteen ontslag.'

'Heel verstandig van ze.'

'Diegenen van ons die voor Rake hadden gespeeld, kwamen in een lastige positie. Iedereen vroeg: "Aan welke kant staan jullie?" Je kon je niet op de vlakte houden. Je moest zeggen of je voor Rake of tegen hem was.'

'En jij?'

'Ik hield me op de vlakte en kreeg van beide kanten op mijn donder. Het werd een soort klassenstrijd. Er was altijd al een kleine groep mensen geweest die ertegen was dat de school meer geld aan football uitgaf dan aan wiskunde en de natuurwetenschappen samen. Wij gingen overal in gehuurde bussen naartoe, terwijl alle andere schoolteams door ouders werden gebracht. Jarenlang hadden de meisjes geen softbalveld, terwijl wij niet één maar twee oefenvelden hadden. De Latijnse Club van de school kwam in aanmerking voor een reis naar New York, maar had er geen geld voor – in datzelfde jaar nam het footballteam de trein om naar de Super Bowl in New Orleans te gaan. Zo kan ik nog een hele tijd doorgaan. Na Rakes ontslag werd er meer geklaagd. De mensen die minder nadruk op sport wilden leggen, zagen hun kans. De football-liefhebbers verzetten zich; ze wilden gewoon Rake en weer een streak. Degenen van ons die hadden gespeeld, naar een college waren gegaan en als min of meer deskundig werden beschouwd, kwamen tussen de twee vuren in te zitten.'

'Hoe ging het verder?'

'Het smeulde nog maanden door. John Reardon hield voet bij stuk. Hij vond iemand in Oklahoma die wilde coachen, en hij nam hem aan als opvolger van Eddie Rake. Jammer genoeg was 1993 een herverkiezingsjaar voor Reardon, zodat de hele controverse ook nog op het politieke vlak kwam te liggen. Er gingen sterke geruchten dat Rake zelf het tegen Reardon zou opnemen. Als hij werd gekozen, zou hij zichzelf weer tot coach benoemen en tegen de hele wereld zeggen dat ze naar de pomp konden lopen. Er gingen geruchten dat Scotty's vader een miljoen dollar zou uitgeven om John Reardon herkozen te krijgen. Enzovoort. De verkiezingsstrijd was bij voorbaat al fel en gemeen, zo fel dat het Rake-kamp bijna geen kandidaat kon vinden.'

'Wie werd hun kandidaat?'

'Dudley Bumpus.'

'Die naam klinkt veelbelovend.'

'Die naam was nog het best aan hem. Hij is een makelaar hier in de stad, een vrijwilliger bij het footballteam, iemand met een grote bek. Geen politieke ervaring, geen ervaring in het onderwijs, had zelf amper vervolgonderwijs. Eén keer gearresteerd, maar niet veroordeeld. Een sukkel die bijna won.'

'Reardon werd herkozen?'

'Met een meerderheid van zestig stemmen. De opkomst was de grootste uit de geschiedenis, bijna negentig procent. Het was een oorlog waarin geen gevangenen werden gemaakt. Toen bekend werd gemaakt wie had gewonnen, ging Rake naar huis. Hij deed de deur op slot en hield zich twee jaar verborgen.'

Ze bleven bij een rij grafstenen staan. Paul liep erlangs,

74

op zoek naar iemand. 'Hier.' Hij wees. 'David Lee Goff. De eerste Spartan die in Vietnam sneuvelde.'

Neely keek naar de grafsteen. Er was een foto in aangebracht van David Lee. Hij leek zestien jaar oud en het was geen foto die in het leger of op school was gemaakt, maar hij droeg zijn groene Spartans-shirt, nummer 22. Geboren in 1950, omgekomen in 1968. 'Ik ken zijn jongste broer,' zei Paul. 'Hij deed eindexamen in mei, kwam in juni in het leger, ging in oktober naar Vietnam, sneuvelde in november. Achttien jaar en twee maanden oud.'

'Twee jaar voordat wij werden geboren.'

'Ongeveer. Er was er ook nog een die ze nooit hebben gevonden. Een zwarte jongen, Marvin Rudd, die in 1970 tijdens gevechtshandelingen vermist werd.'

'Ik herinner me dat Rake over Rudd sprak,' zei Neely.

'Rake was gek op die jongen. Zijn ouders komen nog naar elke wedstrijd, en je vraagt je af wat ze denken.'

'Ik ben doodmoe,' zei Neely. 'Laten we gaan.'

Neely kon zich niet herinneren dat er een boekwinkel in Messina was, en ook geen zaak waar je een espresso kon drinken of een winkel waar je koffiebonen uit Kenia kon kopen. Nat's Place was alle drie en verkocht ook tijdschriften, sigaren, cd's, flets gekleurde wenskaarten, kruidenthee van dubieuze herkomst, vegetarische broodjes en soepen. Zijn zaak fungeerde ook als ontmoetingsplaats voor plaatselijke dichters en folkzangers en het handjevol bohémiens in spe dat Messina kende. Het bevond zich aan het plein, vier deuren van Pauls bank vandaan, in een gebouw waar voer en kunstmest werden verkocht toen Neely nog een kind was.

Omdat Paul een bespreking had over leningen, ging Neely zelf op verkenning uit.

Nat Sawyer was de slechtste punter uit de geschiedenis van de Spartans geweest. Zijn gemiddeld aantal yards per kick was een laagterecord, en hij verknoeide zoveel snaps dat Rake zich meestal tot vier en acht beperkte, ongeacht waar de bal was. Met Neely als quarterback hadden ze geen goede punter nodig.

In hun laatste jaar was het Nat op de een of andere manier twee keer gelukt om de bal helemaal niet met zijn voet te raken. Daarmee had hij voor enkele van de meest bekeken video-opnamen uit de geschiedenis van het team gezorgd. De tweede misser, eigenlijk een combinatie van twee missers tegelijk, resulteerde in een komische 94 yard-touchdown die volgens de accurate tijdmeting van de videobeelden 17,3 seconden duurde. Nat had nerveus in zijn eigen end zone gestaan, had de snap opgepikt, de bal losgelaten en in niets dan lucht geschopt, waarna hij werd ingemaakt door twee defenders van Grove City. Terwijl de bal rustig op de grond dicht bij hem rondtolde, kwam Nat bij zijn positieven. Hij pakte de bal op en begon te rennen. De twee defenders, die een stomverbaasde indruk maakten, zetten een chaotische achtervolging in, en Nat deed een stuntelige poging om de bal al rennend weg te schoppen. Toen hij miste, pakte hij de bal weer op en ging de wedloop verder. Bij de aanblik van zo'n klungelige gazelle die in pure angst over het veld draafde, verstijfden de meeste spelers van beide teams. Silo Mooney zei later dat hij zo hard lachte dat hij niet voor zijn punter kon blocken. Hij zwoer dat hij ook gelach van onder de helmen van de Grove City-spelers kon horen komen.

Op de videobeelden telden de coaches tien gemiste tackles. Toen Nat de end zone bereikte, liet hij de bal na de touchdown demonstratief stuiteren, zonder zich iets aan te trekken van de penalty. Hij rukte de helm van zijn hoofd en rende naar de thuiskant, opdat de supporters hem van dichtbij konden bewonderen.

Rake kende hem een prijs toe voor de Lelijkste Touchdown van het Jaar.

In de tiende klas had Nat geprobeerd safety te spelen, maar hij kon niet hardlopen en had er een hekel aan om te slaan. In de elfde klas had hij receiver geprobeerd, maar Neely dreunde een keer schuin tegen hem aan en toen kon Nat vijf minuten geen adem krijgen. Weinigen van Rakes spelers waren behept met zo weinig talent. Geen van Rakes spelers zag er beroerder uit in een footballtenue.

De etalage stond vol met boeken en er was een bord waarop stond dat je koffie en een lunch kon krijgen. De deur piepte, een belletje rinkelde, en even was het of Neely in de tijd was teruggestapt. Toen drong de eerste vleug wierook in zijn neusgaten binnen en wist hij dat dit de zaak van Nat was. De eigenaar zelf, die met een stapel boeken aan het sjouwen was, kwam tussen twee doorgebogen planken vandaan en zei glimlachend: 'Goedemorgen. Zoekt u iets?'

Toen verstijfde hij en vielen de boeken op de vloer. 'Neely Crenshaw!' Hij kwam net zo stuntelig naar voren als wanneer hij vroeger een bal wilde wegschoppen, en ze omhelsden elkaar, een onhandige omhelzing waarbij Neely een scherpe elleboog tegen zijn bovenarm kreeg. 'Wat goed je te zien!' riep Nat uit, en zijn ogen werden vochtig.

'Ook goed jou te zien, Nat,' zei Neely, die zich niet goed raad wist. Gelukkig was er op dat moment maar één andere klant.

'Je kijkt naar mijn oorringen, hè?' zei Nat, terwijl hij een stap terugging.

'Nou, ja, je hebt een hele verzameling.' Aan elk oor had hij minstens vijf zilveren ringen hangen.

'Ik was de eerste man met oorringen in Messina, wat zeg je me daarvan? En de eerste met een paardenstaart. En de eerste winkelier die openlijk homo was. Ben je niet trots op me?' Nat zwaaide met zijn lange zwarte haar om zijn paardenstaart te laten zien.

'Ja, Nat. Je ziet er goed uit.'

Nat bekeek hem van top tot teen. Zijn ogen flikkerden alsof hij urenlang de ene kop espresso na de andere had gedronken. 'Hoe is het met je knie?' vroeg hij, en hij keek meteen om zich heen, alsof die blessure een geheim was.

'Voorgoed naar de maan, Nat.'

'Het was een cheap shot van die klootzak. Ik zag het.'

Nat zei dat alsof hij die dag aan de zijlijn van het veld had gestaan.

'Het is lang geleden, Nat. In een vorig leven.'

'Wil je koffie? Ik heb wat spul uit Guatamala waar je een kick van krijgt.'

Ze liepen tussen planken en stellingen door naar achteren, waar zich een geïmproviseerde koffieruimte bleek te bevinden. Nat ging vliegensvlug achter een rommelige toonbank staan en was meteen druk in de weer met allerlei keukengerei. Neely liet zich op een kruk zakken en keek toe. Wat Nat ook deed, het was nooit gracieus.

'Ze zeggen dat hij minder dan 24 uur heeft,' zei Nat, terwijl hij een kleine koffiepot omspoelde.

'Geruchten zijn hier in de stad altijd betrouwbaar, vooral wanneer het om Rake gaat.'

'Nee, dit kwam van iemand in het huis.' In Messina ging het er niet om dat je het nieuwste gerucht had, maar de beste bron. 'Wil je een sigaar? Ik heb wat gesmokkelde Cubanen. Krijg je ook een kick van.'

'Nee, dank je. Ik rook niet.'

Nat goot water in een grote machine van Italiaans fabrikaat. 'Wat voor werk doe je?' vroeg hij over zijn schouder.

'Onroerend goed.'

'Man, wat is dat origineel.'

'Ik kan ervan leven. Mooie zaak heb je hier, Nat. Curry zei dat het goed met je gaat.'

'Ik probeer alleen maar een beetje cultuur te brengen in deze woestijn. Paul heeft me dertigduizend dollar geleend om op gang te komen – niet te geloven, hè? Ik had alleen maar een idee en achthonderd dollar, en natuurlijk wilde mijn moeder zich wel borg stellen.'

'Hoe gaat het met haar?'

'Geweldig, dank je. Ze vertikt het om ouder te worden. Ze geeft nog steeds les aan de derde klas.'

Toen de koffie door begon te lopen, leunde Nat naast het kleine aanrecht achterover en streek over zijn borstelige snor. 'Rake gaat dood, Neely. Dat is toch niet te geloven? Messina zonder Eddie Rake. Hij begon hier 44 jaar geleden te coachen. De helft van de mensen hier in de stad was toen nog niet eens geboren.'

'Heb je hem gezien?'

'Hij kwam hier veel, maar toen hij ziek werd, bleef hij

thuis om dood te gaan. Niemand heeft Rake het afgelopen halfjaar gezien.'

Neely keek om zich heen. 'Rake kwam hier?'

'Rake was mijn eerste klant. Hij moedigde me aan om deze zaak te beginnen, gaf me de gebruikelijke peptalk – niet bang zijn, harder werken dan een ander, nooit opgeven – de dingen die hij vroeger in de rust altijd zei. Toen ik deze zaak opende, mocht hij hier 's morgens graag koffie komen drinken. Hij zal zich hier wel veilig hebben gevoeld, want het was niet bepaald druk. De meeste boerenkinkels dachten dat ze al aids zouden krijgen als ze in de etalage keken.'

'Wanneer ben je hier begonnen?'

'Zevenenhalf jaar geleden. De eerste twee jaar kon ik de elektriciteitsrekening niet eens betalen, maar toen ging het geleidelijk wat beter. Het gerucht ging dat dit Rakes favoriete stek was, en toen werden de mensen nieuwsgierig.'

'Ik denk dat de koffie klaar is,' zei Neely. De machine was gaan sissen. 'Ik heb Rake nooit een boek zien lezen.'

Nat schonk de koffie in twee kleine kopjes, zette ze op schotels en op de toonbank.

'Ruikt sterk,' zei Neely.

'Het zou alleen op recept verkrijgbaar moeten zijn. Rake vroeg me op een dag wat ik hem te lezen zou aanraden. Ik gaf hem een Raymond Chandler. De volgende dag kwam hij terug en vroeg om nog een. Hij las ze in een ruk uit. Toen gaf ik hem Dashiell Hammett. En toen was hij helemaal weg van Elmore Leonard. Ik ga om acht uur open, wat maar weinig boekwinkels doen, en een of twee keer per week kwam Rake in alle vroegte. We zaten in de hoek daar en praatten over boeken; nooit over football of politiek, nooit over nieuwtjes. Alleen over boeken. Hij hield van detective-verhalen. Als we de bel van de winkeldeur hoorden rin-kelen, sloop hij door de achterdeur weg en ging naar huis.'

'Waarom?'

Nat nam een grote slok koffie, waarbij het kleine kopje bijna helemaal in de diepten van zijn slordige snor ver-dween. 'We praatten er niet veel over. Rake schaamde zich omdat hij op die manier ontslagen was. Hij is erg trots; dat heeft hij ons geleerd. Maar hij voelde zich ook verantwoordelijk voor Scotty's dood. Veel mensen gaven hem de schuld, en dat zal altijd zo blijven. Het valt niet mee om dat met je mee te torsen, man. Smaakt de koffie?'

'Erg sterk. Mis je hem?'

Weer een langzame slok. 'Hoe kun je Rake niet missen als je voor hem hebt gespeeld? Ik zie zijn gezicht elke dag. Ik hoor zijn stem. Ik ruik zijn zweet. Ik kan voelen dat hij me slaat terwijl ik geen schoudervulling om heb. Ik kan zijn gromstem imiteren, zijn gemopper, zijn stekelige opmerkingen. Ik weet zijn verhalen nog, zijn toespraken, zijn lessen. Ik ken nog alle veertig plays en ik herinner me alle 38 wedstrijden die ik heb gespeeld. Mijn vader is vier jaar geleden gestorven en ik hield zielsveel van hem, maar – en het kost me moeite dit te zeggen – hij had minder invloed op me dan Ed-die Rake.' Nat zweeg net lang genoeg om meer koffie te kunnen inschenken. 'Later, toen ik deze zaak begon en hem leerde kennen als iets anders dan een legende, toen ik niet bang meer was dat hij me uit zou schelden omdat ik een klungel was, ben ik erg op die ouwe rotzak gesteld geraakt. Eddie Rake is geen aardige man, maar hij is menselijk. Hij heeft erg onder Scotty's dood geleden, en hij had niemand met wie hij kon praten. Hij bad veel, ging elke morgen naar de mis. Ik denk dat die boeken hem hebben geholpen; ze waren een nieuwe wereld. Hij ging helemaal op in boeken, honderden, misschien wel duizenden.' Een vlug slokje. 'Ik mis hem, zoals hij daar zat en over boeken en schrijvers praatte om niet over football te hoeven praten.'

De bel van de winkeldeur ging zachtjes in de verte. Nat haalde zijn schouders op en zei: 'Ze vinden ons wel. Wil je een muffin of zoiets?'

'Nee. Ik heb bij Renfrow gegeten. Alles is daar nog hetzelfde. Zelfde vettigheid, zelfde menu, zelfde vliegen.'

'Zelfde kerels die zitten te kankeren omdat het team niet ongeslagen is.'

'Ja. Ga jij naar de wedstrijden?'

'Nee. Als je de enige openlijke homo in zo'n stadje als dit bent, hou je niet van mensenmassa's. Mensen staren en wijzen en fluisteren en pakken hun kinderen vast. Daar wen je aan, maar toch ga ik het liever uit de weg. En ik zou óf alleen moeten gaan, en daar is niets aan, óf ik zou een vriendje mee moeten nemen, en dan zou de hel losbarsten. Kun je je voorstellen dat ik daar met een leuke jongen kom aanlopen, hand in hand? Ze zouden ons stenigen.'

'Hoe lukte het je om in deze stad opeens te zeggen dat je homo was?'

Nat zette de koffie neer en stak zijn handen diep in de zakken van zijn gestreken en gesteven spijkerbroek.

'Dat was niet hier. Na ons eindexamen verhuisde ik

min of meer naar Washington, waar ik er al gauw achter kwam wie ik was en wat ik was. Toen ben ik daar meteen voor uitgekomen, Neely. Ik kreeg een baan in een boekwinkel en leerde het vak. Vijf jaar lang leidde ik een wild leven. Het was een geweldige tijd, maar op een gegeven moment kreeg ik genoeg van de grote stad. Eerlijk gezegd kreeg ik heimwee. Mijn vaders gezondheid ging achteruit, en ik moest naar huis. Ik had een lang gesprek met Rake. Ik vertelde hem de waarheid. Eddie Rake was de eerste hier die ik in vertrouwen nam.'

'Wat was zijn reactie?'

'Hij zei dat hij niet veel van homoseksuele mensen wist, maar als ik wist wie ik was, moest ik me niets van alle andere mensen aantrekken. "Leid je leven, jongen," zei hij. "Sommigen zullen je haten, anderen zullen je geweldig vinden, de meesten zullen niet weten wat ze ervan moeten denken. Het is aan jou."'

'Dat klinkt als Rake.'

'Hij gaf me de moed, man. Toen haalde hij me over om deze zaak te openen, en net toen ik er zeker van was dat ik een grote fout had gemaakt, begon Rake hier te komen, en dat raakte bekend. Wacht even. Niet weggaan.' Nat liep met grote stappen naar de voorkant van de winkel, waar een bejaarde vrouw stond te wachten. Hij riep haar naam met een stem die niet vriendelijker zou kunnen zijn, en even later waren ze samen naar een boek aan het zoeken.

Neely liep om de toonbank heen en schonk zich nog een kop koffie in. Toen Nat terugkwam, zei hij: 'Dat was mevrouw Underwood. Die had vroeger de leiding van de schoonmaaksters.'

'Ja, dat weet ik nog.'

'Honderdtien jaar oud en ze is gek op erotische wild-westboeken. Ik bedoel maar. Je komt erg veel te weten als je een boekwinkel hebt. Ze denkt dat ze die boeken van mij kan kopen omdat ik mijn eigen geheimen heb. Daar komt nog bij dat ze zich, met haar honderdtien jaar, waarschijnlijk nergens meer iets van aantrekt.'

Nat legde een grote bosbessenmuffin op een bordje en zette dat op de toonbank. 'Tast toe,' zei hij, en hij brak hem in tweeën. Neely nam een klein stukje.

'Je bakt ze zelf?' vroeg hij.

'Elke morgen. Ik koop ze ingevroren en bak ze in de oven. Niemand proeft het verschil.'

'Niet slecht. Zie je Cameron nog wel eens?'

Nat hield op met kauwen en keek Neely vragend aan.

'Waarom zou jij nieuwsgierig zijn naar Cameron?'

'Jullie waren bevriend. Ik vroeg het me alleen maar af.'

'Ik hoop dat je nog steeds last hebt van je geweten.'

'Dat heb ik.'

'Goed. Ik hoop dat je het er moeilijk mee hebt.'

'Af en toe misschien.'

'We schrijven elkaar. Het gaat goed met haar. Ze woont in Chicago. Getrouwd, een paar kinderen. Nogmaals: waarom vraag je dat?'

'Ik mag je niet naar een van onze klasgenoten vragen?'

'Er zaten er bijna tweehonderd in onze klas, in ons jaar. Waarom is zij de eerste naar wie je vraagt?'

'Neem me niet kwalijk.'

'Nee, ik wil het weten. Kom op, Neely, waarom vraag je naar Cameron?'

Neely stopte een paar kruimels van de muffin in zijn

mond en wachtte af. Hij haalde zijn schouders op en glimlachte en zei: 'Goed. Ik denk aan haar.'

'Denk je ook aan Screamer?'

'Hoe zou ik haar kunnen vergeten?'

'Je ging met de lellebel van de klas, instant-bevrediging, maar op de lange termijn was het een slechte keuze.'

'Ik was jong en dom, dat geef ik toe. Maar het was geweldig.'

'Je was de held van de school, Neely. Je had ieder meisje kunnen krijgen. Je zette Cameron aan de kant omdat Screamer bloedgeil was. Ik heb je daarom gehaat.'

'Kom nou, Nat. Echt waar?'

'Ik had de pest aan je. Ik kende Cameron nog van de kleuterschool, uit de tijd voordat jij naar de stad kwam. Ze wist dat ik anders was, maar ze heeft me altijd beschermd. Ik probeerde haar ook te beschermen, maar ze viel voor jou en dat was een grote fout. Screamer besloot dat zij de held wilde hebben. De rokken werden korter, de bloesjes strakker, en jij was een makkelijke prooi. Mijn lieve Cameron werd aan de kant gezet.'

'Sorry dat ik dit ter sprake heb gebracht.'

'Ja, man, laten we het over wat anders hebben.'

Een hele tijd hadden ze niets om over te praten.

'Wacht maar tot je haar ziet,' zei Nat.

'Ze ziet er goed uit, hè?'

'Screamer ziet eruit als een oudere dure callgirl, wat ze waarschijnlijk ook is. Cameron is pure klasse.'

'Je denkt dat ze komt?'

'Waarschijnlijk wel. Mevrouw Lila heeft haar een eeuwigheid pianoles gegeven.'

Neely hoefde nergens heen, maar hij keek toch op zijn

horloge. 'Ik moet weg, Nat. Bedankt voor de koffie.'

'Bedankt voor je komst, Neely. Het doet me goed.'

Ze zigzagden tussen de planken en stellingen door naar de voorkant van de winkel. Bij de deur bleef Neely staan. 'Zeg, sommigen van ons komen vanavond bij elkaar op de tribune. Een soort wake, zou je kunnen zeggen,' zei hij. 'Bier en oude verhalen. Waarom kom je ook niet?'

'Dat zal ik graag doen,' zei Nat. 'Bedankt.'

Neely deed de deur open en liep naar buiten. Nat pakte zijn arm vast en zei: 'Neely, ik loog. Ik heb je nooit gehaat.'

'Daar had je wel reden voor.'

'Niemand haatte jou, Neely. Jij was onze held.'

'Die tijd is voorbij, Nat.'

'Nee, pas als Rake dood is.'

'Zeg tegen Cameron dat ik haar graag wil spreken. Ik heb haar iets te zeggen.'

De secretaresse glimlachte plichtmatig en schoof een klembord over de balie. Neely schreef zijn naam, de tijd en de datum op en vermeldde dat hij een bezoek bracht aan Bing Albritton, die al jaren coach van het meisjesbasketbal was. De secretaresse bekeek het formulier, herkende zijn naam of gezicht niet en zei ten slotte: 'Hij zal wel in de sporthal zijn.' De andere vrouw op de administratie keek op; ook zij herkende Neely Crenshaw niet.

En dat vond hij helemaal niet erg.

Het was stil in de gangen van de Messina High School. De deuren van de klaslokalen waren allemaal dicht. Dezelfde kluisjes. Dezelfde kleur verf. Dezelfde vloeren, hard en glanzend gemaakt met lagen was. Dezelfde weeïge lucht van desinfecterende middelen in de buurt van de wc's. Als hij daar naar binnen ging, zou hij hetzelfde water horen druipen, dezelfde rook van verboden sigaretten ruiken, dezelfde rij vlekkerige urinoirs zien en waarschijnlijk ook dezelfde vechtpartij van twee jongens meemaken. Hij bleef in de gangen, waar hij langs de algebraklas van mevrouw Arnett kwam, en toen hij een snelle blik door de smalle ruit in de deur wierp, ving hij een glimp op zijn vroegere lerares. Ze was vijftien jaar ouder, zat op de hoek van hetzelfde bureau en legde dezelfde formules uit.

Was het echt vijftien jaar geleden geweest? Een ogenblik voelde hij zich weer achttien, een jongen die een hekel had aan algebra en aan Engels en niets nodig had van wat die klaslokalen hem te bieden hadden, want hij zou zijn fortuin op het footballveld maken. De vijftien jaren die in een waas aan hem voorbijtrokken, maakten hem duizelig.

Er kwam een schoonmaker voorbij, een oudere man die al in dit gebouw werkte zolang het bestond. Gedurende een fractie van een seconde leek het of hij Neely herkende, maar toen wendde hij zijn ogen af en bromde zachtjes: 'Goedemorgen.'

De hal van de school kwam uit in een groot, modern atrium dat gebouwd was toen Neely in de tweede klas zat. Het atrium verbond de twee oudere gebouwen met elkaar die samen de school vormden en leidde naar de ingang van de sporthal. Aan de muren hingen de foto's van de hoogste klassen uit vroeger jaren. Dat ging terug tot de jaren twintig.

Basketbal was een minder belangrijke sport in Messina, maar door het football was het stadje zo gewend geraakt aan overwinningen dat het successen verwachtte van elk team. Eind jaren zeventig had Rake gezegd dat de school een nieuwe sporthal nodig had. Er was een obligatielening uitgeschreven en Messina kon nu trots zijn op de beste basketbalzaal in de hele staat. De ingang was een ware eregalerij.

Het eerste wat opviel, was een kolossale, en erg dure, trofeeënkast waarin Rake zijn dertien kleine monumenten zorgvuldig had neergezet. Dertien staatskampioenschappen tussen 1961 en 1987. Achter elk daarvan stond een grote teamfoto met een lijst van de scores en een collage van vergrote krantenkoppen. Er waren gesigneerde ballen, en er waren shirts waarvan officieel afscheid was genomen, zoals nummer 19. En er waren veel foto's van Rake – Rake met Johnny Unitas op een of andere gelegenheid buiten het seizoen, Rake met een gouverneur hier en een gouverneur daar, Rake met Roman Armstead kort na een wedstrijd van de Packers.

Enkele minuten werd Neely helemaal in beslag genomen door al die trofeeën, al had hij ze vele malen gezien. Deze kast was ooit een glorieus eerbewijs aan een briljante coach en zijn toegewijde spelers en herinnerde tegelijk op een trieste manier aan wat er vroeger was geweest. Hij had eens iemand horen zeggen dat de gang van de sporthal het hart en de ziel van Messina was. Het was meer een schrijn voor Eddie Rake, een altaar waar zijn volgelingen hem konden aanbidden.

Er stonden nog meer vitrinekasten langs de muren die naar de deuren van de sportzaal leidden. Gesigneerde ballen uit minder succesvolle jaren. Kleinere trofeeën van minder belangrijke teams. Voor het eerst, en hopelijk voor het laatst, had Neely medelijden met jongens uit Messina die hard getraind hadden en succes hadden gehad maar toch onopgemerkt waren gebleven omdat ze een sport bedreven die minder in de belangstelling stond.

Football was koning en dat zou nooit veranderen. Football leverde je roem en geld op en dat was dat.

Een harde bel, die hem meteen weer vertrouwd in de oren klonk, barstte dichtbij los. Met een schok keerde Neely tot de realiteit van vijftien jaar later terug. Hij ging terug door het atrium, om daar midden in de drukte van een massale lokaalwisseling terecht te komen. Op de gangen krioelde het van de leerlingen die duwden en schreeuwden en kluisdeurtjes dichtgooiden. Het was een ontlading van testosteron en hormonen die vijftig minuten lang waren onderdrukt. Niemand herkende Neely.

Een grote, gespierde speler met een erg dikke nek botste bijna tegen hem op. Hij droeg een groen-met-wit embleemjasje van de Spartans. Het recht om dat jasje te dragen was het grootste eerbewijs dat je in Messina ten deel kon vallen. De jongen had de gebruikelijke manier van lopen van iemand die de ruimte om hem heen in bezit had, en dat had hij ook, al was het maar even. Hij dwong respect af. Hij verwachtte bewonderd te worden. De meisjes glimlachten naar hem. De andere jongens gingen voor hem opzij.

Kom over een paar jaar maar eens terug, grote jongen, en dan weten ze niet eens meer je naam, dacht Neely. Dan is je fabelachtige carrière niet meer dan een voetnoot. Dan zijn al die leuke meisjes moeder geworden.

Op dat groene jasje kun je dan nog steeds trots zijn, maar je kunt het niet meer dragen. Dan is het iets van school. Iets van kinderen.

Waarom was het toen zo belangrijk geweest?

Neely voelde zich plotseling erg oud. Hij baande zich een weg door de menigte en verliet de school.

Laat in de middag reed hij langzaam over een smalle grindweg die om Karr's Hill heen leidde. Toen de berm wat breder werd, stopte hij. Beneden hem, een paar honderd meter van hem vandaan, stond het clubgebouw van de Spartans, en rechts in de verte lagen de twee oefenvelden. Op het ene veld trainde het schoolteam in volledig tenue en op het andere veld was het juniorteam aan het oefenen. Coaches floten en blaften. Op Rake Field reed Rabbit op een groen-met-gele John Deere-maaimachine heen en weer over het maagdelijke gras, iets wat hij van maart tot december elke dag deed. De cheerleaders waren op de baan achter de thuisbank borden aan het schilderen voor de oorlog op vrijdagavond, en van tijd tot tijd oefenden ze ook nieuwe manoeuvres. Aan het andere eind van het veld was het muziekkorps bijeengekomen voor een korte repetitie.

Er was niet veel veranderd. Andere coaches, andere spelers, andere cheerleaders, andere leerlingen in het muziekkorps, maar het waren nog steeds de Spartans op Rake Field, met Rabbit op de maaimachine, en iedereen keek nog steeds uit naar de vrijdagavond. Als Neely over tien jaar terugkwam en hier weer ging staan, zouden de mensen en de velden er hetzelfde uitzien.

Een ander jaar, een ander team, een ander seizoen.

Het was moeilijk te geloven dat Eddie Rake in latere jaren niets anders meer kon doen dan hier op de heuvel te zitten en vanaf zo'n grote afstand naar de wedstrijd te kijken dat hij de radio nodig had gehad om te weten wat er gebeurde. Juichte hij voor de Spartans? Of hoopte hij heimelijk dat ze elke wedstrijd zouden verliezen, gewoon uit rancune? Rake had gemene trekjes en kon jarenlang wrok blijven koesteren.

Neely had hier nooit verloren. In zijn eerste jaar bleef het team ongeslagen, en dat werd in Messina natuurlijk ook van je verwacht. De eerstejaars speelden op donderdagavonden en trokken meer supporters dan de meeste schoolteams. De twee wedstrijden die hij als beginneling had verloren, waren allebei finalewedstrijden voor het staatskampioenschap geweest, op de campus van A&M. Zijn team uit de achtste klas had thuis gelijk gespeeld tegen Porterville, en hier op het veld in Messina was Neely nooit dichter bij een nederlaag gekomen dan op die dag.

Dat gelijkspel was voor coach Rake aanleiding geweest om na de wedstrijd hun kleedkamer binnen te stormen en een hele lezing te geven over Spartans-trots. Nadat hij een stel jongens van dertien had overdonderd, verving hij hun coach.

Al die verhalen begonnen weer bij Neely boven te komen toen hij naar de oefenvelden keek, en hij had er geen enkele behoefte aan om ze weer tot leven te wekken.

Een man die een fruitmand kwam bezorgen bij het huis van Rake, hoorde het, en al gauw wist de hele stad dat de coach zo ver was weggezakt dat hij niet meer terug zou komen.

Tegen de avond was het verhaal tot de tribune doorgedrongen, waar kleine groepen spelers van verschillende teams uit verschillende decennia waren bijeengekomen om te wachten. Een paar zaten in hun eentje, verdiept in hun eigen herinneringen aan Rake en aan roem die allang vervlogen was.

Paul Curry was er weer, in spijkerbroek en sweatshirt, en met twee grote pizza's die Mona had gebakken en had meegegeven, opdat de jongens die avond weer jongens konden zijn. Silo Mooney was er met een koelbox vol bier. Hubcap ontbrak, en dat was nooit een verrassing. De Utley-tweeling, Ronnie en Donnie, van buiten de stad had gehoord dat Neely terug was. Vijftien jaar geleden waren ze twee identieke linebackers van 72 kilo geweest, die elk een boom konden tackelen.

Toen het donker was, zagen ze Rabbit weer naar het scorebord lopen om de lichten van de zuidwestelijke mast aan te doen. Rake leefde nog, zij het maar amper. Er vielen lange schaduwen over Rake Field, en de spelers wachtten. De joggers waren weg; het was stil op het veld. Nu en dan werd er gelachen in een van de groepen die verspreid over de thuistribune zaten. Blijkbaar had iemand dan een oud footballverhaal verteld. Maar het grootste deel van de tijd werd er alleen gedempt gepraat. Rake was nu buiten bewustzijn. Het einde naderde.

Nat Sawyer vond hen. Hij had iets in een grote tas. 'Heb je daar drugs, Nat?' vroeg Silo.

'Nee. Sigaren.'

Silo was de eerste die een Cubaan opstak, toen Nat,

toen Paul en ten slotte Neely. De Utley-tweeling dronk niet en rookte niet.

'Jullie raden nooit wat ik heb gevonden,' zei Nat.

'Een vriendin?' zei Silo.

'Hou je bek, Silo.' Nat maakte de tas open en haalde er een grote cassetterecorder uit, een gettoblaster.

'Schitterend, jazzmuziek, net wat ik wilde,' zei Silo.

Nat hield een cassettebandje omhoog en zei: 'Dit is Buck Coffey die verslag uitbrengt van de kampioenschapswedstrijd van zevenentachtig.'

'Nee,' zei Paul.

'Ja. Ik heb er gisteravond voor het eerst sinds jaren naar geluisterd.'

'Ik heb het nooit gehoord,' zei Paul.

'Ik wist niet dat ze die wedstrijden opnamen,' zei Silo.

'Er zijn wel meer dingen die jij niet weet, Silo,' zei Nat. Hij stak het bandje in het apparaat en begon aan de knoppen te draaien. 'Als jullie er geen bezwaar tegen hebben, wilde ik de eerste helft maar overslaan.'

Zelfs Neely kon daarom lachen. In de eerste helft was zijn bal vier keer onderschept en had hij een worp verknoeid. De Spartans stonden met 31-0 achter tegen een erg goed team van East Pike.

Het bandje begon en de langzame, schorre stem van Buck Coffey sneed door de stilte van de tribune.

'Hier Buck Coffey in de rust, mensen, op de campus van A&M, bij wat een gelijkopgaande strijd tussen twee ongeslagen teams had moeten zijn. Maar nee. East Pike leidt in elke categorie, behalve penalty's en turnovers. De score is 31-0. Ik geef al 22 jaar commentaar bij wedstrijden van de

Messina Spartans, en ik kan me niet herinneren dat ze ooit eerder zo ver achter lagen in de rust.'

'Waar is Buck nu?' vroeg Neely.
'Hij hield ermee op toen ze Rake ontsloegen,' zei Paul. Nat zette het geluid een beetje harder en Bucks stem droeg nog verder. Die stem werkte als een magneet op de spelers uit de andere teams. Randy Jaeger en twee van zijn teamgenoten uit 1992 kwamen naar hen toe. Jon Couch, de advocaat, en Blanchard Teague, de oogarts, waren met hun joggingschoenen teruggekomen, samen met vier anderen uit de tijd van de Streak. Een stuk of tien anderen kwamen dichterbij.

'De teams zijn weer op het veld, en we onderbreken deze uitzending voor een mededeling van onze sponsors.'

'Ik heb al die onzin van de sponsors eruitgegooid,' zei Nat.
'Goed,' zei Paul.
'Wat ben je toch een slimme jongen,' zei Silo.

'Ik kijk nu naar de zijlijn van Messina, en ik zie coach Rake niet. Sterker nog, er zijn helemaal geen coaches op het veld. De teams staan klaar voor de kickoff van de tweede helft, en de Spartans-coaches zijn nergens te bekennen. Dit is op zijn zachtst gezegd erg vreemd.'

'Waar zijn de coaches?' vroeg iemand.
Silo haalde zijn schouders op, maar gaf geen antwoord.

En dat was de grote vraag die al vijftien jaar onbeantwoord was in Messina. Het was duidelijk geweest dat de coaches de tweede helft hadden geboycot, maar waarom?

'East Pike schopt de bal naar de zuidelijke end zone. Het is een korte trap. Marcus Mabry op de achttien vangt de bal, zigzagt ermee door het veld, wint wat ruimte, maar wordt getackeld op de 30-yardlijn, waar de Spartans voor het eerst van-avond zullen proberen wat offense te bieden. Neely Crenshaw was in de eerste helft bij zijn derde poging niet verder dan vijftien yards géko-men. East Pike ving meer van zijn passes dan de Spartans.'

'Klootzak,' zei iemand.
'Ik dacht dat hij aan onze kant stond.'
'Altijd, maar hij hield meer van ons als we wonnen.'
'Wacht nou maar,' zei Nat.

'Nog steeds geen teken van Eddie Rake of de an-dere coaches. Dit is erg vreemd. De Spartans ver-breken de huddle en Crenshaw gaat in de offense. Curry is wide-right, Mabry de I-back. East Pike heeft acht man in de box. Ze tarten Crenshaw om de bal te gooien. Nu de snap, keuze voor rechts, Crenshaw doet alsof hij gaat gooien, rent door, ziet wat daglicht, harde aanval, draait rond, pareert een tackle, en hij is los bij de 40, de 45, de 50, en out of bounds bij de East Pike 41, een winst van 29 yards! Het beste play van de Spartans-offense in deze wedstrijd. Misschien komen ze tot leven.'

'Man, die kerels konden je te grazen nemen,' zei Silo rustig.

'Ze hadden vijf spelers die voor Division One hadden getekend,' zei Paul, die zich de nachtmerrie van de eerste helft herinnerde. 'Vier in de defense.'

'Daar hoef je mij niet aan te herinneren,' zei Neely.

'Dit Spartans-team wordt eindelijk wakker. Ze schreeuwen in de huddle naar elkaar, en de zijlijn is nu in alle staten. Daar komen ze. Crenshaw wijst naar links, en Curry loopt ver opzij. Mabry in de slot, nu in beweging, de snap, snelle worp naar Mabry, die zes, zeven yards wint. En de Spartans gaan er nu hard tegenaan. Ze rukken elkaar van het gras, slaan elkaar op de helm. En natuurlijk praat Silo Mooney tegen minstens drie van de East Pike-spelers. Altijd een goed teken.'

'Wat zei je tegen ze, Silo?'
'Ik zei dat we gehakt van ze gingen maken.'
'Jullie stonden 31 punten achter.'
'Ja,' zei Paul. 'Dat is waar. We hoorden hem. Na die tweede play begon Silo te ouwehoeren.'

'Tweede en drie. Crenshaw in de shotgun. De snap, een snelle schijnbeweging, de bal gaat naar Mabry, die het op een lopen zet, een snelle draai maakt, naar de dertig rent, de twintig, en out of bounds op de East Pike zestien! Drie plays, 54 yards! En de offensive van de Spartans is nu echt goed op dreef. Eerste down Spartans – in de eerste helft hadden ze er maar vijf, en maar 46 yards in totaal. Crenshaw roept nu zijn eigen plays af. Er komt niets van de zijlijn, want daar zijn geen coaches. Curry wide, Mabry in de I, Chenault in beweging, keuze rechts, schijnbeweging, worp naar Mabry, die op de lijn geraakt wordt. Hij rent over de linebacker heen en bereikt de 10-yardlijn. De klok tikt, nog tien minuten in het derde quarter. Messina tien yards van een touchdown vandaan, en duizend kilometer van een staatskampioenschap. Eerste en goal, Crenshaw valt terug om een pass te geven, bal naar Mabry die in het backfield wordt aangevallen, schudt zich los, rent ver naar rechts. Er is daar niemand! Hij gaat scoren! Hij gaat scoren! En Marcus Mabry duikt naar de grond voor de eerste touchdown van Messina! Touchdown Spartans! Ze komen terug!'

Jon Couch zei: 'Toen we scoorden, dacht ik, mooi dat we een touchdown hebben, maar we halen die kerels nooit meer in. East Pike was te goed.'
Nat zette het geluid wat zachter en zei: 'Ze verknoeiden de kickoff, nietwaar?'
Donnie: 'Ja, Hindu stripte de bal op ongeveer de vijftien, en we gingen er als wespen op af. Hij stuiterde zo'n vijf minuten rond en rolde ten slotte out of bounds op de twintig.'
Ronnie: 'De tailback ging rechts off-tackle, niets gewonnen. Links off-tackle, niets gewonnen. Derde en

elf. Ze vielen iets terug om een pass te geven, en Silo tackelde de quarterback op de 6-yardlijn.'

Donnie: 'Jammer genoeg stampte hij hem daarbij met zijn kop naar voren in de grond, vijftien yards aftrek, onsportief gedrag, eerste down East Pike.'

Silo: 'Fout van de scheidsrechter.'

Paul: 'Fout van de scheidsrechter? Je probeerde zijn nek te breken.'

Silo: 'Nee, beste bankier, ik probeerde hem te doden.'

Ronnie: 'We waren helemaal gek geworden. Silo gromde als een gewonde grizzlybeer. Hindu, dat zweer ik jullie, huilde. Hij wilde bij elk play vanuit de safety gaan blitzen, alleen om er zeker van te zijn dat hij iemand te pakken kreeg.'

Donnie: 'We hadden de Dallas Cowboys kunnen tegenhouden.'

Blanchard: 'Wie riep de defense?'

Silo: 'Ik. Het was simpel – mandekking op de wide-outs, recht op de tight end af, acht jongens in de box, iedereen blitzte, iedereen in de aanval, of het nu mocht of niet, dat deed er niet toe. Het was geen wedstrijd meer; het was oorlog.'

Donnie: 'Derde en acht. Higgins, die opschepper van een flanker die naar Clemson ging, kwam schuin over het midden. De pass was hoog. Hindu schatte het perfect in, kwam aanzetten als een sneltrein en kreeg hem te pakken, een fractie van een seconde voordat de bal er was. Pass interference.'

Paul: 'Zijn helm ging zeven meter de lucht in.'

Jon Couch: 'We zaten er dertig rijen boven, en het klonk als twee auto's die op elkaar botsten.'

Silo: 'We hebben het gevierd. We hebben er eentje vermoord. Daar kregen we ook een vlag voor.'

Ronnie: 'Twee vlaggen, dertig yard, het kon ons niet schelen. Ze gingen niet meer scoren. Het maakte niet uit wat ze met de bal deden.'

Blanchard: 'Jullie waren ervan overtuigd dat ze niet konden scoren?'

Silo: 'Geen enkel team had in die tweede helft tegen ons kunnen scoren. Toen ze Higgins het veld afdroegen – op een brancard – was de bal op onze 30-yardlijn. Ze maakten een omtrekkende beweging die zes yard kostte, een schijnbeweging die vier kostte, en toen ging hun kleine quarterback weer naar de shotgun en toen hebben we hem afgemaakt.'

Nat: 'Hun punter liet er eentje vallen op de 3-yardlijn.'

Silo: 'Ja, ze hadden een goede punter. Wij hadden natuurlijk jou.'

Nat zette het geluid harder:

'Nog 79 yards te gaan voor de Spartans, met iets minder dan acht minuten in het derde quarter. Nog steeds geen teken van Eddie Rake en de andere coaches van de Spartans. Ik keek naar Crenshaw toen East Pike de bal had. Hij hield zijn rechterhand de hele tijd in een emmer ijs, en hij hield zijn helm op. Geeft de bal af naar links, naar Mabry die niet veel krijgt. Beide defenses sturen gewoon iedereen, en dat moet goed zijn voor een pass.'

Silo: 'Niet vanaf de 3-yardlijn, klojo.'

Paul: 'Coffey wilde altijd coachen.'

'Worp naar rechts, Mabry mist de bal, rent dan het veld op, krijgt wat ruimte in de breedte, en hij is out of bounds op de 10.'

Couch: 'Gewoon uit nieuwsgierigheid, Neely, weet jij wat je toen riep?'
Neely: 'Ja, keuze rechts. Ik zag de keuze, maakte een schijnbeweging naar Chenault, deed alsof ik naar Hubcap gooide, rende elf yard het veld op. De offensive-lijn was bezig mensen neer te maaien.'

'Eerste en tien Spartans, die de huddle verbreken en naar de scrimmagelijn rennen. Dit is een ander team, mensen.'

Paul: 'Ik weet niet waarom Buck op de radio was. Niemand die luisterde. De hele stad was bij de wedstrijd.'
Randy: 'Nee, daar vergis je je in. Iedereen luisterde. In de tweede helft wilden we weten wat er met coach Rake was gebeurd, en dus hadden alle Messina-supporters hun radio tegen hun oor.'

'Bal naar Chenault, die recht naar voren ploegt voor drie of vier. Hij liet in feite gewoon zijn helm zakken en volgde Silo Mooney, die dubbele dekking heeft.'

Silo: 'Het waren er maar twee! Ik was beledigd. Die tweede kerel was een klein schoffie met een valse kop. Hij woog zo'n tachtig kilo en hij dacht dat hij een rotzak was. Kwam ouwehoerend het veld op. Over een minuut zal hij het veld verlaten.'

'Worp naar Mabry, weer ver naar rechts, en hij heeft wat ruimte, tot aan de 30 en out of bounds. Een speler van East Pike ligt onderuit op het veld.'

Silo: 'Dat is hem.'
Teague: 'Wat deed je?'
Silo: 'De play ging naar rechts, van ons vandaan. Ik blockte hem, kreeg hem op de grond en liet mijn knie in zijn maag zakken. Hij piepte als een varken. Hij hield het drie plays uit. Nooit meer teruggezien.'
Paul: 'Ze hadden ons in elke play kunnen vlaggen voor spelverruwing, of we nu offense of defense waren.'
Neely: 'Terwijl ze hem van het veld droegen, zei Chenault tegen me dat hun linker tackle niet goed bewoog. Hij had iets, misschien een verzwikte enkel, die jongen leed pijn maar ging de wedstrijd niet uit. En dus renden we in diezelfde play vijf keer recht op hem af. Zes, zeven yard per keer, met Marcus dicht bij de grond, op zoek naar iemand waar hij overheen kon lopen. Ik gaf de bal af en dan kon het bloedbad beginnen.'
Silo: 'Zet hem wat harder, Nat.'

'Eerste en tien op de East Pike 38. De Spartans zijn aan de bal, maar de seconden tikken voorbij. Tot nu toe nog niet één pass in de tweede helft. Nog zes minuten te gaan. Curry links in beweging, de snap, keuze rechts, worp naar Mabry die naar buiten zwenkt, naar de 30! De 25! Helemaal tot aan de East Pike 18, en de Spartans kloppen op de deur!'

Neely: 'Na elke play sprintte Mabry naar de huddle terug en zei: "Geef me de bal, jongen, geef me de bal nou." En dat deden we.'

Paul: 'En als Neely de play had afgeroepen, zei Silo: "Als je het verknalt, breek ik je nek."'

Silo: 'En dat meende ik.'

Blanchard: 'Wisten jullie hoe weinig tijd we hadden?'

Neely: 'Ja, maar dat deed er niet toe. We wisten dat we zouden winnen.'

'Mabry heeft de bal al 12 keer meegedragen in de tweede helft, voor 78 yards. Nu een snelle snap, weer de rechterkant, daar staat niet veel. De Spartans beuken steeds weer tegen de linkerkant van de East Pike-defense. Mabry gaat gewoon achter Durston en Vatrano aan, en natuurlijk is Silo Mooney altijd in de buurt.'

Silo: 'Wat was ik gek op Buck Coffey!'

Neely: 'Ging jij niet met zijn jongste dochter?'

Silo: 'Ik zou dat niet "gaan met" willen noemen. Buck wist er helemaal niks van.'

'Tweede en acht, vanaf de zestien, Mabry weer aan de rechterkant, voor drie, misschien vier, en het is een hondengevecht daar in de loopgraven, mensen.'

'Het is altijd een hondengevecht, Buck, daarom noemen ze het de loopgraven.'

In het halfduister was het gezelschap allengs groter geworden. Andere spelers waren naar hen toe gelopen of zakten een eindje de tribune af, tot ze dichtbij genoeg waren om het wedstrijdcommentaar te horen.

'Derde en vier, Curry ver, vol backfield, keuze rechts, Crenshaw houdt de bal, wordt aangevallen, valt naar voren, misschien twee. Devon Bond kreeg hem goed te pakken.'

Neely: 'Devon Bond kreeg me zo vaak te pakken dat ik me net een boksbal voelde.'

Silo: 'Hij was de enige speler waar ik niets mee kon doen. Ik gooide de bal, had hem perfect in het vizier, maar dan was hij gewoon verdwenen. Of anders gaf hij me zo'n dreun met zijn onderarm dat mijn tanden ervan klapperden. Dat was een gemene rotzak.'

Donnie: 'Is hij niet hogerop gekomen?'

Paul: 'Steelers, een paar jaar, en toen liep hij blessures op en ging hij naar East Pike terug.'

'Een vierde en twee. Dat is meer dan enorm, mensen. De Spartans moeten hier scoren, want ze moeten nog heel wat punten binnenhalen. En de klok tikt nu hard. Drie minuten en veertig seconden. Chenault nu links in beweging, lange bal van Crenshaw. En ze springen! East Pike springt off-side! Eerste en goal Spartans op de 5-yardlijn! Crenshaw maakte een schijnbeweging met zijn hoofd en ze trapten erin.'

Silo: 'Schijnbeweging, kom nou!'

Paul: 'Het zat allemaal in de cadans.'

Teague: 'Ik weet nog dat hun coach gek werd. Hij stormde het veld op.'
Neely: 'Hij kreeg een vlag. De halve afstand.'
Silo: 'Die kerel was knetter, en hoe meer we scoorden, des te harder ging hij schreeuwen.'

'Eerste en goal vanaf de tweeënhalf. Keuze links, hier komt de worp, Marcus Mabry wordt aangevallen, rent door en valt de end zone in! Touchdown Spartans! Touchdown!'

Bucks stem droeg nog verder in de stille avondlucht. Op een gegeven moment hoorde Rabbit het ook en sloop hij door de schaduw op de baan om te kijken wat voor lawaai dat was. Hij zag een troep mensen ergens boven op de tribune rondhangen. Hij zag flesjes bier, rook sigaren. In vroeger tijden zou hij iedereen hebben weggestuurd. Maar dat waren Rakes jongens daarboven, de uitverkorenen. Ze wachtten tot de lichten uitgingen.
Als hij dichterbij kwam, kon hij ze allemaal bij hun naam en nummer noemen, en dan zou hij ook nog precies weten waar ze hun kledingkluis hadden gehad. Rabbit glipte tussen de metalen balken onder de tribune door en verstopte zich onder de spelers om mee te luisteren.
Silo: 'Neely riep een on-side kick, en het lukte bijna. De bal stuiterde rond en werd aangeraakt door zo ongeveer iedere speler in het veld, totdat iemand met het verkeerde shirtje hem eindelijk goed te pakken kreeg.'
Ronnie: 'Ze renden twee keer twee yard en probeerden

toen een lange pass, maar daar stond Hindu tussen. Drie en uit, alleen legde Hindu de receiver neer. Spelverruwing. Eerste down.'

Donnie: 'Dat was een afschuwelijke beslissing.'

Blanchard: 'Wij op de tribune werden helemaal gek.'

Randy: 'Mijn vader gooide bijna zijn radio het veld op.'

Silo: 'Het kon ons niet schelen. Ze gingen niet scoren.'

Ronnie: 'Ze gingen drie en weer uit.'

Couch: 'Was dit niet ongeveer het moment van de punt return?'

Nat: 'Eerste play van het vierde quarter.' Hij zette het apparaat weer wat harder.

'East Pike terug om te punten op de Messina 41, de snap, een lage harde kick, teruggeschopt door Paul Curry op de vijf, ver naar rechts naar de tien, en terug. Hij heeft een muur! Een perfecte muur! Naar de twintig, dertig, veertig! Terug over het middenveld, een block van Marcus Mabry, naar de veertig, de dertig, langs de andere zijlijn! Hij heeft overal blockers! Naar de tien, vijf, vier, twee, touchdown! Touchdown Spartans! Een punt return van 95 yard!'

Nat zette het geluid wat zachter om hen te laten genieten van een van de mooiste momenten uit de geschiedenis van het football in Messina. De punt return was precies volgens het boekje uitgevoerd. Elke block en elke beweging waren in eindeloze uren van training gechoreografeerd door Eddie Rake. Toen Paul Curry de end zone op rende, werd hij geëscorteerd door zes groene shirts, precies zoals hun was geleerd. 'Met z'n allen naar de end zone,' had Rake keer op keer uitgeroepen.

Twee East Pike-spelers lagen op het veld, slachtoffers van harde maar toegestane blocks die Rake hun in de negende klas had geleerd. 'Punt returns zijn ideaal voor het afmaken van mensen,' had hij keer op keer gezegd.

Paul: 'Laten we nog een keer luisteren.'

Silo: 'Eén keer is genoeg. Het einde is hetzelfde.'

Zodra het veld was vrijgemaakt, nam East Pike de volgende kickoff en begonnen ze aan een drive die zes minuten in beslag zou nemen. Gedurende een korte periode in de tweede helft gebruikten ze hun superieure talent om zestig yard te winnen, al werd elke centimeter hun betwist. Hun naadloze spel uit de eerste helft had allang plaatsgemaakt voor aarzelende stappen en veel onzekerheid. De hemel daalde over hen neer. Ze stonden op het punt om te worden ingemaakt, en ze konden er niets tegen doen.

Elke afgave van de bal leidde tot een verwoede aanval van alle elf verdedigers. Elke korte pass eindigde ermee dat de receiver in de kreukels op de grond lag. Er was geen tijd voor lange passes; Silo was niet in bedwang te houden. Bij vierde en twee vanaf de Messina 28 was East Pike zo dom om voor de eerste down te gaan. De quarterback deed alsof hij naar links ging gooien, rende onverwacht naar rechts, op weg naar de tight end. Maar de tight end was uitgeschakeld door Donnie Utley, wiens tweelingbroer aan het blitzen was als een dolle hond. Ronnie greep de quarterback van achteren vast, stripte de bal zoals hem geleerd was, gooide hem op de grond, en de Spartans, die met 31-21 achterstond was weer aan zet, met nog vijf minuten en vijfendertig seconden te gaan.

'Er is iets mis met Neely's rechterhand. Hij heeft in de tweede helft nog geen enkele poging tot een pass gedaan. Als de defense op het veld is, houdt hij die hand in een ijsemmer. East Pike heeft dat ook gezien – ze doen aan mandekking op de wide-outs, en alle anderen staan langs de scrimmagelijn.'

Jaeger: 'Die hand was gebroken, hè?'
Paul: 'Ja, hij was gebroken.'
Neely knikte alleen maar.
Jaeger: 'Hoe had je hem gebroken, Neely?'
Silo: 'Een incident in de kleedkamer.'
Neely zweeg.

'Eerste en tien vanaf de Spartans 39, Curry ver naar rechts, beweging links, worp naar rechts, naar Marcus Mabry, die vier, misschien vijf erg moeilijke yards wint. Devon Bond is overal op het veld. Dat moet wel de droom van een linebacker zijn, geen zorgen over passdekking, alleen maar op de bal af. De Spartans vlug in de huddle, springen naar de lijn. Ze horen de klok tikken. Snelle snap, dive naar Chenault, dicht achter Silo Mooney, die mensen aan het afslachten is op het middenveld.'

Silo: 'Wat zegt hij dat leuk – mensen afslachten.'
Donnie: 'Dat was nog voorzichtig uitgedrukt. Frank

miste een block, en Silo stompte hem in de huddle.'

Neely: 'Hij stompte hem niet. Hij gaf hem een klap. De scheidsrechter begon een vlag te gooien, maar hij wist niet zeker of je iemand kon straffen omdat hij zijn eigen teamgenoten mishandelde.'

Silo: 'Hij had die block niet moeten missen.'

'Derde en een op de 48, nog vier minuten en twintig seconden te gaan. Spartans weer op de lijn voordat East Pike klaar is, snelle snap, Neely naar rechts, houdt de bal, over de vijftig naar de 45 en out of bounds. Eerste down en de klok zal stoppen. De Spartans hebben twee touchdowns nodig. Ze moeten de zijlijnen gaan gebruiken.'

Silo: 'Kom op, Buck, waarom ga je niet gewoon de plays afroepen?'

Donnie: 'Hij kende ze vast wel.'

Jaeger: 'Ach, iedereen kende ze. Die zijn in dertien jaar niet veranderd.'

Couch: 'We gebruikten dezelfde plays die jullie tegen East Pike gebruikten.'

'Mabry weer getackeld, op vier yards, hard getroffen door Devon Bond en de safety, Armondo Butler, een echte koppensneller. Ze zijn niet bang voor de pass en zetten alles op alles om Mabry tegen te houden. Dubbele tight en set, Chenault rechts in beweging, keuze links, worp naar Mabry, die naar voren stormt en op de een of andere manier drie yards wint. Het wordt nu derde en drie, weer een grote play, maar ze zijn nu allemaal groot. De klok tikt, minder dan vier minuten te spelen. Bal op de 38. Curry sprint uit de huddle weg, ver naar links, backfield, Neely laat zich in de shotgun terugvallen, de snap, hij gaat naar rechts, kijken, kijken, er is pressie, en daar gaat hij de andere kant op, en hij wordt onderuitgehaald door Devon Bond. Een lelijke botsing van helm tegen helm, en Neely komt maar langzaam overeind.

Neely: 'Ik kon niets zien. Ik ben nog nooit zo hard geraakt, en zo'n dertig seconden kon ik niets zien.'
Paul: 'Omdat we geen time-out wilden verspillen, trokken we hem van de grond, zetten hem overeind en sleurden hem min of meer naar de huddle terug.'
Silo: 'Ik gaf hem ook een klap op zijn gezicht, en dat hielp echt.'
Neely: 'Dat kan ik me niet herinneren.'
Paul: 'Het was vierde en één. Neely was niet meer op de wereld, dus ik riep de play af. Wat zal ik zeggen? Ik ben een genie.'

'Vierde en één. De Spartans komen langzaam naar de lijn. Crenshaw voelt zich niet al te goed. Hij wankelt nogal. Enorme grote play. Enorme grote play. Dit zou wel eens beslissend kunnen zijn, mensen. East Pike heeft negen man op de lijn. Dubbele tight ends, geen wide-outs. Crenshaw vindt het midden, lange snap, snelle worp naar Mabry, die stopt, springt en een pass over het midden geeft naar Heath Dorcek, die helemaal vrij staat! Naar de dertig! De twintig! Geraakt op de tien! Strompelt en valt neer op de drie! Eerste en goal Spartans!'

Paul: 'Het was de lelijkste pass die ooit in het georganiseerde football is gegooid. De bal tolde rond, als een stervende eend. Man, wat was dat mooi.'

Silo: 'Hartstikke goed. Dorcek zou nog mis grijpen als ze een vrachtwagen naar hem gooiden; daarom gooide Neely nooit naar hem.'

Nat: 'Ik heb nog nooit iemand zo langzaam zien rennen. Hij was net een logge buffel.'

Silo: 'Hij liep jou er zo uit.'

Neely: 'Dat play ging een eeuwigheid door, en toen Heath weer in de huddle kwam, had hij tranen in zijn ogen.'

Paul: 'Ik keek Neely aan en hij zei: "Roep een play". Ik herinner me dat ik op de klok keek – nog drie minuten en veertig seconden, en we moesten nog twee keer scoren. Ik zei: "Laten we het nu doen, niet in de derde down." Silo zei: "Kom maar op."'

'Nog maar drie yards van het beloofde land, mensen, en daar komen de Spartans, met z'n allen naar de lijn, snelle set, snelle snap, Crenshaw houdt de bal, en hij loopt de end zone in! Silo Mooney en Barry Vatrano hebben het hele midden van de East Pike-lijn ondersteboven gelopen! Touchdown Spartans! Touchdown Spartans! Ze laten zich niet kisten! 31-27! Ongelooflijk!'

Blanchard: 'Ik herinner me dat jullie een huddle hadden voor de kickoff, het hele team. Het was bijna delay of the game.'

Er volgde een lange stilte. Niemand sprak. Ten slotte zei Silo: 'We regelden de zaken. We hadden wat dingen die we geheim moesten houden.'

Couch: 'Had dat met Rake te maken?'

Silo: 'Ja.'

Couch: 'Kwam hij nog steeds niet naar buiten?'

Paul: 'We keken niet, maar toen het spel was hervat, ging er langs de zijlijn het gerucht dat Rake terug was. We zagen hem aan de rand van de end zone. Hij stond daar bij de vier andere coaches, nog steeds met hun groene sweatshirts aan, de handen in de zakken. Ze stonden er heel nonchalant bij, alsof ze terreinknechten waren of zoiets. We hadden de pest aan het hele stel.'

Nat: 'We speelden niet tegen East Pike, maar tegen hen.'

Blanchard: 'Ik zal dat nooit vergeten – Rake en zijn assistenten aan de rand van het veld. Ze leken net een stel hoeren in de kerk. Op dat moment wisten we niet waarom ze daar stonden. Eigenlijk weten we dat nog steeds niet.'

Paul: 'Er was hun gezegd dat ze van onze zijlijn vandaan moesten blijven.'

Blanchard: 'Door wie?'

Paul: 'Het team.'

Blanchard: 'Maar waarom?'

Nat stak zijn hand uit naar de volumeknop. Buck Coffeys stem sloeg over van opwinding. Om dat gebrek aan helderheid te compenseren begon Buck nog harder te praten. Toen East Pike in de eerste down naar de lijn liep, schreeuwde Buck zowat in de microfoon.

'Bal op de 18. Nog 3 minuten 25 seconden. East Pike heeft een totaal van 3 eerste downs en 61 yards offense in de tweede helft. Alles wat ze hebben geprobeerd, is afgekapt door een geïnspireerd stelletje Spartans. Een schitterende ommekeer, de geweldigste prestatie die ik heb meegemaakt in de 22 jaar dat ik het Spartans-football versla.'

Silo: 'Zet hem op, Buck.'

'Afgave bal naar rechts, één, misschien twee yards. De spelers van East Pike weten niet goed wat ze moeten doen. Ze zouden graag de klok vooruitzetten, maar ze hebben een paar eerste downs nodig. Drie minuten, tien seconden, en de klok tikt. Messina heeft alle drie de time-outs nog, en die zullen ze nodig hebben. East Pike is nu echt aan het tijdrekken, langzaam in de huddle, langzaam met het play vanaf de zijlijnen, wedstrijdklok terug naar twaalf, ze komen los uit de huddle, langzaam naar de lijn. Vier, drie, twee, één, de snap, worp naar Barnaby, die om de hoek schiet voor vijf, misschien zes. Een grote derde down nu, derde en 3 op de 25, en de klok tikt.'

Een auto kwam bij de poort tot stilstand. Hij was wit en er stonden letters op de deuren. 'Dat zal Mal zijn,' zei iemand. De sheriff kwam op zijn gemak uit de wagen, rekte zich uit en keek naar het veld en de tribunes. Toen stak hij een sigaret aan. De vlam van zijn aansteker was dertig rijen hoger nog te zien, bij de 40-yardlijn.

Silo: 'Ik had meer bier moeten meebrengen.'

'De Spartans graven zich in. Wide-outs rechts en links. In de shotgun neemt Waddell de snap, schijnaanval naar rechts, worp naar links, en de bal wordt op de 32 gevangen door Gaddy, die tegen de grond wordt gelopen door Hindu Aiken. Eerste down East Pike, en ze rukken aan de kettingen. Nog 2 minuten en 40 seconden te gaan, en de Spartans hebben iemand langs de zijlijn nodig die beslissingen neemt. Ze spelen daar zonder coaches, mensen.'

Blanchard: 'Wie nam de beslissingen?'

Paul: 'Toen ze de eerste down hadden, leek het Neely en mij verstandig om een time-out te gebruiken. Silo vond dat hij ook een time-out moest houden.'

Silo: 'Ik ging met de defense naar de zijlijn en het hele team kwam bij elkaar staan. Iedereen schreeuwde. Ik krijg nog steeds kippenvel als ik eraan denk.'

Neely: 'Harder, Nat, voordat Silo begint te huilen.'

'Eerste down op de 32. East Pike los uit huddle, ze hebben geen haast, split in het backfield, ver naar rechts, de snap, Waddell terug om een pass te geven, kijkt naar rechts, en hij gooit een down-and-out naar de achtendertig. De receiver ging niet out of bounds, en de klok gaat naar 2 minuten 28 seconden. 2:27.'

Bij de poort rookte Mal Brown zijn sigaret en keek hij naar de menigte ex-Spartans die over de tribune verspreid zaten. Hij hoorde de radio en herkende Buck Coffeys stem, maar hij wist niet naar welke wedstrijd ze luisterden. Al had hij wel een vermoeden. Hij nam een trek en keek of hij Rabbit ergens in de schemering zag.

'East Pike op de lijn met een tweede en vier. Nog 2 minuten en 14 seconden te gaan. Snelle worp naar links, naar Barnaby, en hij komt niet weg! Keihard op de lijn getroffen door beide Utleys tegelijk. Ronnie en Donnie blitzen door elke opening, lijkt het wel. Zij raken hem het eerst en dan komt het hele team erachteraan! De Spartans hebben grote haast, maar ze moeten wel voorzichtig zijn. Die aanval was bijna te laat, bijna een overtreding.'

Silo: 'Aanval te laat, spelverruwing, een stuk of tien persoonlijke fouten – je kunt kiezen, Buck. Ze hadden ons in elke play kunnen afvlaggen.'
Ronnie: 'Silo beet mensen.'

'Derde en vier. Minder dan twee minuten te gaan. East Pike rekt zo veel mogelijk tijd. De klok tikt. Terug naar de lijn waar alle elf Spartans wachten. Ga je rennen en word je onderuitgehaald, of ga je passen en word je gesackt? Dat is de keuze voor East Pike. Ze kunnen de bal niet verplaatsen! Waddell is terug, het is een screen, en de bal wordt neergeslagen door Donnie Utley!

De klok stopt! Vierde en vier! East Pike zal moeten punten! Eén minuut vijftig seconden te gaan en de Spartans krijgen de bal!'

Mal liep langzaam over de baan, met weer een sigaret. Ze zagen hem dichterbij komen.
Paul: 'De vorige punt return hielp, dus we besloten het nog een keer te proberen.'

'Een lage punt, een line drive die op de veertig neerkomt. De bal stuitert hoog op, en dan nog een keer. Alonzo Taylor krijgt hem op de 35 te pakken en hij kan nergens heen! Overal vlaggen! Dat kan een clip worden!'

Paul: 'O ja? Hindu was iemand aan het afmaken, de ergste clip die ik ooit heb gezien!'
Silo: 'Ik wilde zijn nek breken.'
Neely: 'Ik hield je tegen, weet je nog wel? Die arme kerel ging huilend naar de zijlijn.'
Silo: 'Arme kerel. Als ik hem nu tegenkwam, zou ik weer over die clip beginnen.'

'Dus dit is de situatie, mensen. De Spartans hebben de bal op hun eigen 19, 81 yards te gaan, met nog één minuut en veertig seconden op de klok. Van 31 naar 28. Crenshaw heeft twee time-outs en geen passing game.'

Paul: 'Hij kon geen pass geven met een gebroken hand.'

'Het hele Spartans-team houdt een huddle bij de zijlijn en het lijkt net of ze aan het bidden zijn.'

Mal kwam langzaam de treden op, zonder zijn gebruikelijke arrogante doelbewustheid. Nat zette de band stop, en de tribunes waren stil.
'Jongens,' zei Mal. 'De coach is dood.'
Rabbit dook op uit de schaduw van de tribune en liep met grote stappen over de baan. Ze zagen hem achter het scorebord verdwijnen, en enkele seconden later gingen alle lampen van de zuidwestelijke lichtmast uit. Het was donker op Rake Field.

De meeste Spartans die rustig op de tribune zaten, kenden Messina niet zonder Eddie Rake. En voor de ouderen, die nog erg jong waren toen hij als onbekende en onbeproefde 28-jarige footballcoach naar de stad kwam, was zijn invloed op de stad zo groot dat ze gemakkelijk konden denken dat hij er altijd was geweest. Per slot van rekening stelde Messina niets voor totdat Rake kwam. Het stond niet op de kaart.
De wake was voorbij. De lampen waren uit.
Hoewel ze op zijn naderende dood hadden gewacht, trof Mals nieuws hen als een mokerslag. Iedere Spartan trok zich enkele ogenblikken in zijn eigen herinneringen terug. Silo zette zijn bierflesje neer en begon met zijn vingers tegen beide slapen te tikken. Paul Curry steunde met zijn ellebogen op zijn knieën en staarde naar het veld, naar een punt ergens bij de 50-yardlijn, waar zijn coach tekeerging en zich soms zo opwond dat niemand bij hem in de buurt durfde te komen. Neely zag Rake in de ziekenhuiskamer, zijn groene Messina-

pet in de hand, zachtjes pratend tegen zijn ex-held, bezorgd om zijn knie en zijn toekomst. En Rake had ook geprobeerd zich te verontschuldigen.

Nat Sawyer beet op zijn lip. Zijn ogen begonnen vochtig te worden. Eddie Rake had na zijn footballtijd veel meer voor hem betekend. Goddank is het donker, dacht Nat. Maar hij wist dat hij niet de enige met vochtige ogen was.

Ergens uit het dal, uit de stad, kwam het zachte getinkel van kerkklokken. Messina kreeg het gevreesde nieuws.

Blanchard Teague sprak als eerste. 'Ik wil deze wedstrijd echt afmaken. We hebben vijftien jaar gewacht.'

Paul: 'We renden massaal naar voren. Alonzo won ongeveer zes of zeven yards en kwam out of bounds.'

Silo: 'Hij zou hebben gescoord, maar Vatrano miste een block op een linebacker. Ik zei tegen hem dat ik hem in de kleedkamer zou castreren als hij er nog eentje miste.'

Paul: 'Ze hadden iedereen op de lijn. Ik vroeg steeds aan Neely of hij iets kon gooien, zelfs een klein passje over het midden, iets om hun secondary los te krijgen.'

Neely: 'Ik kon de bal amper vasthouden.'

Paul: 'Tweede down, we gingen naar links...'

Neely: 'Nee, tweede down, en we stuurden er drie breed en diep. Ik zakte terug om een pass te geven, stak de bal toen onder me, rende zestien yards maar kon niet out of bounds komen. Devon Bond kreeg me weer te pakken en ik dacht dat ik dood was.'

Couch: 'Dat weet ik nog. Maar hij stond ook niet zo gauw op.'

Neely: 'Ik maakte me geen zorgen om hem.'

117

Paul: 'De bal was op de veertig, met nog ongeveer een minuut te gaan. Deden we niet weer een sweep?'

Nat: 'Naar links, bijna een eerste down en Alonzo kwam out of bounds, recht voor onze bank.'

Neely: 'Toen probeerden we de keuze-pass weer, en Alonzo gooide hem weg en we waren hem bijna kwijt.'

Nat: 'We waren hem kwijt, maar de safety had één voet over de lijn.'

Silo: 'Toen zei ik tegen jou: geen passes van Alonzo meer.'

Couch: 'Hoe was het in de huddle?'

Silo: 'Nogal gespannen, maar toen Neely "bek dicht" zei, waren we stil. Hij zei steeds weer tegen ons dat we ze gingen afmaken, dat we gingen winnen, en zoals altijd geloofden we hem.'

Nat: 'De bal was op de vijftig, met nog vijftig seconden te gaan.'

Neely: 'Ik riep een screen pass, en dat ging schitterend. De pass rush was woest, en het lukte me de bal met mijn linkerhand naar Hubcap te krijgen.'

Nat: 'Het was prachtig. Hij werd aangevallen in het backfield, maakte zich los, en plotseling had hij een muur van blockers.'

Silo: 'Toen kreeg ik Bond te pakken. Die klerelijer verweerde zich tegen een block en keek even niet goed uit, en toen boorde ik mijn helm in zijn linkerzij en konden ze hem wegdragen.'

Neely: 'Waarschijnlijk wonnen we daardoor de wedstrijd.'

Blanchard: 'Het hele stadion was een gekkenhuis, 35.000 mensen schreeuwend als idioten, maar toch konden we het horen toen je Bond die dreun gaf.'

Silo: 'Het was toegestaan. Ik hou meer van dreunen die niet zijn toegestaan, maar het was een slecht moment voor een penalty.'

Paul: 'Alonzo scoorde ongeveer twintig yards. De klok werd stilgezet voor de blessure, dus we hadden wat tijd. Neely riep drie plays.'

Neely: 'Ik wilde geen interception of fumble riskeren, en ik kon de defense alleen spreiden door de receivers ver van de shotgun vandaan te sturen. In de eerste down scoorde ik ongeveer tien.'

Nat: 'Elf. Het was de eerste down op de 21, met nog dertig seconden te gaan.'

Neely: 'Nu Bond uit de wedstrijd was, wist ik dat ik kon scoren. Ik dacht, nog twee scrambles en we zijn in de end zone. In de huddle zei ik dat ze moesten zorgen dat ze iemand tegen de grond kregen.'

Silo: 'Ik zei dat ze iemand moesten vermoorden.'

Neely: 'Ze blitzten alle drie linebackers en ze kregen me op de lijn te pakken. We moesten onze laatste time-out gebruiken.'

Amos: 'Dacht je aan een field goal?'

Neely: 'Ja, maar Scooney had een zwak been – nauwkeurig maar zwak.'

Paul: 'Daar kwam nog bij dat hij het hele jaar geen field goal had geschopt.'

Silo: 'Dat schoppen was niet onze specialiteit.'

Nat: 'Dank je, Silo. Op jou kan ik altijd rekenen.'

De laatste play van die wonderbaarlijkste wedstrijd was misschien wel de beroemdste uit de hele glorieuze geschiedenis van het Spartans-football. Alle time-outs waren opgebruikt, en met maar twintig yards te gaan, en nog achttien seconden over, stuurde Neely twee receivers ver opzij en nam hij de snap in de shotgun. Hij gaf de bal vlug aan Marcus Mabry. Marcus deed drie stappen, bleef toen plotseling staan en gooide de bal terug naar Neely, die naar rechts sprintte en de bal vasthield alsof hij er nu eindelijk mee ging gooien. Toen hij zich omdraaide, kwam de offensive-lijn naar voren gerend, op zoek naar iemand die ze konden neergooien. Bij de tien liet Neely, die als een gek over het veld rende, zijn hoofd zakken en ramde hij tegen een linebacker en een safety op, een botsing waardoor een gewone sterveling het bewustzijn zou hebben verloren. Hij draaide zich bliksemsnel weg, los maar duizelig, zijn benen nog snel in beweging, werd weer aangevallen op de vijf, en opnieuw op de drie, waar het grootste deel van de East Pike-defense kans zag hem te omsingelen. De play was bijna voorbij, net als de wedstrijd, toen Silo Mooney en Barry Vatrano zich in de massa spelers rondom Neely ramden, en toen smakten ze allemaal in de end zone tegen de grond. Neely sprong overeind, de bal nog tegen zich aan, en keek recht naar Eddie Rake, die zeven meter van hem vandaan stond, met een volstrekt onbewogen gezicht.

Neely: 'Gedurende een fractie van een seconde dacht ik erover de bal naar hem te smijten, maar toen gooide Silo me ondersteboven en sprong iedereen erbovenop.'

Nat: 'Het hele team was er. Samen met de cheerleaders, de trainers, het halve muziekkorps. We kregen vijftien yards aftrek voor buitensporig toejuichen.'

Couch: 'Het kon niemand wat schelen. Ik weet nog dat ik Rake en de coaches aankeek, en ze kwamen niet in beweging. Als dat niet vreemd was!'

Neely: 'Ik lag in de end zone, ik werd verpletterd door

mijn teamgenoten, en ik zei tegen mezelf dat we zojuist het onmogelijke hadden gedaan.'

Randy: 'Ik was twaalf jaar oud, en ik weet nog dat alle Messina-supporters er helemaal stil van waren. Ze staarden verbluft voor zich uit. Sommigen huilden.'

Blanchard: 'Die lui van East Pike huilden ook.'

Randy: 'Ze liepen nog één play, nietwaar? Na de kickoff?'

Paul: 'Ja, Donnie blitzte en werkte de quarterback tegen de grond. De wedstrijd was voorbij.'

Randy: 'Plotseling renden alle spelers met een groen shirt het veld af – geen handdrukken, geen huddle, een woeste run op de kleedkamer. Het hele team verdween.'

Mal: 'We dachten dat jullie allemaal gek geworden waren. We wachtten een tijdje, want we dachten dat jullie terug moesten komen om de trofee in ontvangst te nemen en zo.'

Paul: 'We kwamen niet naar buiten. Ze stuurden iemand om ons op te halen voor de ceremonie, maar we hielden de deur op slot.'

Blanchard: 'Die arme jongens van East Pike probeerden te glimlachen toen ze de trofee voor de tweede plaats kregen, maar ze waren nog niet van de schok bekomen.'

Blanchard: 'Rake was ook verdwenen. Op de een of andere manier lieten ze Rabbit het middenveld oplopen om de kampioenstrofee in ontvangst te nemen. Het was erg vreemd, maar we waren zo opgewonden dat het ons niets kon schelen.'

Mal liep naar Silo's koelbox en pakte er een biertje uit. 'Ga gerust je gang, sheriff,' zei Silo.

'Ik heb geen dienst.' Hij nam een grote slok en begon de treden af te lopen. 'De begrafenis is vrijdag, jongens. Om twaalf uur.'

'Waar?'

'Hier. Waar anders?'

Donderdag

1

Neely en Paul spraken elkaar donderdagochtend in alle vroegte achter in de boekwinkel, waar Nat weer van die sterk verslavende en waarschijnlijk illegale Guatemalteekse koffie had gezet. Nat had iemand in de winkel, bij de kleine, halfverborgen afdeling Occultisme. Het was een sinister uitziende vrouw met een lichte huid en gitzwart haar. 'De heks van de stad,' zei Paul een beetje trots, alsof elke stad een heks nodig had, en ook erg zachtjes, want anders zou ze misschien een vloek in zijn richting slingeren.

De sheriff kwam even over acht, in volledig uniform en zwaarbewapend. Hij voelde zich duidelijk niet erg thuis in de enige boekwinkel van de stad, en dan ook nog een winkel die eigendom was van een homo. Als Nat geen ex-Spartan was geweest, zou Mal hem waarschijnlijk als verdacht persoon laten schaduwen.

'Zijn jullie klaar?' gromde hij. Blijkbaar wilde hij zo gauw mogelijk weg.

Met Neely op de voorbank en Paul achterin reden ze met grote snelheid de binnenstad uit. Ze reden in een lange witte Ford met grote letters die bekendmaakten dat deze auto eigendom was van de SHERIFF. Op de grote weg buiten de stad trapte Mal het gaspedaal in en zette hij het rood-met-blauwe zwaailicht aan. Maar geen sirene. Zodra alles was zoals hij het wilde hebben, liet hij zijn lichaamsgewicht opzij zakken, pakte zijn piepschuimen beker koffie op en legde zijn pols slap op de bovenkant van het stuur. Ze reden zo'n honderdzestig kilometer per uur.

'Ik ben in Vietnam geweest,' zei Mal. Hij koos dat onderwerp en wekte de indruk dat hij er de komende twee uur over zou blijven praten. Paul liet zich een paar centimeter verder onderuitzakken op de achterbank, als een echte crimineel die op weg is naar een rechtszitting. Neely keek naar het verkeer. Hij was ervan overtuigd dat ze om het leven zouden komen in een gruwelijke frontale botsing.

'Ik zat op een rivierpatrouilleboot van de marine op de rivier de Bassac.' Na deze informatie slurpte hij wat koffie naar binnen. 'We zaten met z'n zessen in zo'n stom bootje, ongeveer twee keer zo groot als een roeiboot, en we hadden opdracht over de rivier te patrouilleren en herrie te schoppen. We schoten op alles wat bewoog. We waren idioten. Als een koe te dichtbij kwam, hadden we een oefendoel. Een nieuwsgierige boer die zijn hoofd boven het rijstveld uitstak? We schoten meteen, alleen om te zien hoe hij in de modder viel. De missies die we elke dag uitvoerden, hadden geen enkel tactisch doel, en daarom dronken we bier, rookten we hasj, zaten we te kaarten en probeerden we de Vietnamese meisjes over te halen met ons te gaan bootjevaren.'

'Dit leidt vast nog wel tot iets,' zei Paul op de achterbank.

'Mond houden en luisteren. Op een dag waren we half in slaap gevallen, het was heet, we waren aan het zonnebaden, lagen daar maar wat als een stel schildpadden op een boomstam, toen plotseling de hel losbarstte. Vanaf beide oevers van de rivier werd op ons geschoten. Hevig vuur. Een hinderlaag. Twee jongens waren beneden. Ik was aan dek met drie anderen, die allemaal onmiddellijk geraakt werden. Dood. Neergeschoten voordat ze hun geweer konden pakken. Het bloed vliegt door de lucht. Iedereen schreeuwt. Ik lig plat op mijn buik en kan niet bewegen. Dan wordt er een vat met brandstof geraakt. Dat verrekte ding had niet aan dek mogen staan, maar wat kon ons dat verrotten? We waren onoverwinnelijk, want we waren achttien en dom. Dat ding ontploft. Ik zie kans om de rivier in te duiken zonder brandwonden op te lopen. Ik zwem naast de boot en grijp een stuk van een camouflagenet dat over de zijkant hangt. Ik hoor mijn twee maten schreeuwen in de boot. Ze zitten in de val, overal rook en vuur, geen uitweg. Ik blijf zo lang mogelijk onder water. Als ik boven kom om lucht te happen, besproeien de spleetogen me met kogels. Hevig geweervuur. Ze weten dat ik onder water ben en mijn adem inhou. Dat gaat een hele tijd zo door, terwijl de boot in brand staat en met de stroom mee gaat. Aan het schreeuwen en hoesten in de boot komt een eind. Iedereen is dood, behalve ik. De spleetogen zijn nu duidelijk te zien. Ze lopen aan weerskanten langs de oever, alsof ze een wandelingetje op hun vrije zondag maken. Ze hebben veel plezier. Ik ben de laatste die nog leeft, en ze wachten tot ik een fout maak. Ik zwem onder de boot door, duik aan de andere kant weer op, adem lucht in – overal kogels om me heen. Ik zwem naar de achterkant, pak het roer een tijdje vast, kom even boven en hoor de spleetogen lachen terwijl ze me met kogels besproeien. De rivier zit vol slangen, van die kleine rotdingen die dodelijk giftig zijn. Dus ik kan kiezen uit drie dingen: verdrinken, doodgeschoten worden, of op de slangen wachten.'

Mal zette de koffie in de bekerhouder op het dashboard en stak een sigaret aan. Gelukkig deed hij zijn raam een beetje open. Neely zette dat van hem ook op een kier. Ze reden door het boerenland, vlogen met grote snelheid over glooiende heuvels, langs tractors en oude pick-ups.

'Wat gebeurde er toen?' vroeg Neely, toen duidelijk werd dat Mal op enige aandrang wachtte.

'Blijkbaar heb je het overleefd,' zei Paul, die graag naar het eind van het verhaal toe wilde.

'Ja, ik was de gelukkige. De andere vijf gingen in een kist naar huis. De boot brandde en brandde en soms kon ik me er niet aan vasthouden omdat de romp zo heet was. Toen explodeerden de accu's met knallen als mortiertreffers en begon de boot te zinken. Ik hoorde de spleetogen lachen. Ik hoorde ook Rake in het vierde quarter: "Tanden op elkaar, mannen. Het is winnen of verliezen. Nu komt het eropaan."'

'Ik kan hem ook horen,' zei Neely.

'Plotseling kwam er een eind aan het schieten. Toen hoorde ik helikopters. Twee helikopters hadden de rook gezien en waren op verkenning uitgegaan. Ze kwamen laag aanvliegen, joegen de spleetogen uit elkaar, lieten een touw zakken en ik had geluk. Toen ze me naar binnen haalden, keek ik naar beneden en zag de boot branden. Ik zag twee van mijn maten zwartgeblakerd op het dek liggen. Ik verkeerde in een shocktoestand en ging van mijn stokje. Later zeiden ze dat toen ze me naar mijn naam vroegen, ik antwoordde met: "Eddie Rake."'

Neely keek naar links en Mal wendde zich af. Zijn stem was een beetje overgeslagen, en hij veegde over zijn ogen. Een paar seconden had hij geen handen op het stuur.

'Dus je kwam thuis?' zei Paul.

'Ja, ik had geluk. Ik kwam daar weg. Hebben jullie honger?'

'Nee.'

'Nee.'

Mal blijkbaar wel. Hij trapte op de rem en reed tegelijk naar rechts. Ze vlogen een parkeerterrein voor een oude winkel op. Mal trapte de rem helemaal in en de Ford kwam slingerend tot stilstand. 'De beste pannenkoeken in dit deel van de staat,' zei hij, en hij gooide zijn portier open en stapte een stofwolk in. Ze volgden hem naar de achterkant van de winkel, waar ze via een gammele hordeur in iemands kleine, rokerige keukentje kwamen. Er stonden daar vier tafels dicht bij elkaar, allemaal bezet door boers uitziende kerels die ham en pannenkoeken aten. Gelukkig, tenminste voor Mal, die zo te zien bijna in zwijm viel van de honger, stonden er drie lege krukken aan het rommelige buffet. 'Doe eens wat pannenkoeken deze kant op,' gromde hij tegen een oud vrouwtje dat bij een fornuis stond. Blijkbaar waren menukaarten hier niet nodig.

Met opmerkelijk veel snelheid diende ze koffie en pannenkoeken voor ze op, met boter en gierststroop. Mal stortte zich op de eerste, een dikke, bruinige substantie van spek en meel die minstens een pond woog. Neely, links van hem, en Paul, rechts, volgden zijn voorbeeld. 'Ik hoorde jullie gisteravond praten op de tribune,' zei Mal, die van Vietnam op football overging. Hij nam een grote hap en begon verwoed te kauwen. 'Over die wedstrijd in 1987. Ik was daar toen bij, net als iedereen. We dachten dat er in de rust iets in de kleedkamer was gebeurd, een of ander meningsverschil tussen jou en Rake. Ik heb het echte verhaal nooit gehoord, weet je, want jullie hebben er nooit over gepraat.'

'Je zou het een meningsverschil kunnen noemen,' zei Neely, die bezig was stroop op zijn eerste en enige pannenkoek te doen.

'Niemand heeft er ooit over gepraat,' zei Paul.

'Wat gebeurde daar toen?'

'Een meningsverschil.'

'Dat had ik begrepen. Rake is nu dood.'

'Nou?'

'Nou, het is nu vijftien jaar geleden. Ik wil weten wat er gebeurd is,' zei Mal, alsof hij een moordverdachte in de achterkamer van het politiebureau aan een verhoor onderwierp.

Neely keek naar zijn pannenkoek. Toen keek hij naar Paul, die knikte. Doe maar. Je kunt het verhaal nu eindelijk vertellen.

Neely nam een slokje van zijn koffie en negeerde het eten. Hij keek naar het buffet en liet zijn blik wegdwalen. 'We stonden met 31-0 achter. Ze maakten gewoon gehakt van ons,' zei hij langzaam en erg zachtjes.

'Ik was erbij,' zei Mal, die aan een stuk door kauwde.

'In de rust kwamen we in de kleedkamer en wachtten daar op Rake. We wachtten en wachtten, en we wisten dat we op het punt stonden levend opgevreten te worden. Ten slotte kwam hij binnenlopen, samen met de andere coaches. Hij was meer dan woedend. We waren doodsbang. Hij liep recht op mij af, met pure haat in zijn ogen. Ik had geen idee wat ik kon verwachten. Hij zei: "Jij miezerig snertexemplaar van een footballspeler." Ik zei: "Dank je, coach." Zodra ik die woorden had uitgesproken, haalde hij uit met zijn linkerhand en sloeg me met de rug daarvan op mijn gezicht.'

'Het klonk als een houten knuppel die een honkbal raakt,' zei Paul. Hij had ook geen trek meer in zijn pannenkoek.

'En daardoor brak je neus,' zei Mal, die nog steeds veel belangstelling voor zijn ontbijt had.

'Ja.'

'Wat deed je?'

'Ik haalde instinctief uit. Ik wist niet of hij van plan was me nog een keer te slaan, maar dat ging ik niet af-wachten. En dus gaf ik hem een rechtse hoek met alle kracht die ik erin kon leggen. Ik trof hem precies op zijn linkerkaak, recht tegen zijn gezicht.'

'Het was geen rechtse hoek,' zei Paul. 'Het was een bom. Rakes hoofd vloog opzij alsof hij er een kogel in had gekregen, en hij viel als een zak cement.'

'Buiten westen?'

'Helemaal. Coach Upchurch kwam meteen naar vo-ren, schreeuwend, vloekend, alsof hij me ging afma-ken,' zei Neely. 'Ik kon het niet zien. Mijn hele gezicht zat onder het bloed.'

'Silo kwam naar voren en greep Upchurch bij zijn keel,' zei Paul. 'Hij deed dat met beide handen en hij tilde hem op en gooide hem tegen de muur. Hij zei dat hij hem ter plekke zou vermoorden als hij nog één beweging maakte. Rake lag voor dood op de vloer. Snake Thomas en Rabbit en een van de trainers hurk-ten naast hem neer. Enkele seconden heerste er chaos, en toen gooide Silo coach Upchurch tegen de vloer en zei hij dat ze allemaal de kleedkamer uit moesten gaan. Thomas zei iets en Silo gaf hem een schop voor zijn kont. Ze trokken Rake de kleedkamer uit en we deden de deur op slot.'

'Om de een of andere reden huilde ik, en ik kon er niet mee ophouden,' zei Neely.

Mal was opgehouden met eten. Ze keken alle drie recht voor zich uit naar het vrouwtje bij het fornuis.

'We vonden wat ijs,' ging Paul verder. 'Neely zei dat zijn hand gebroken was. Zijn neus bloedde als een rivier. Hij was in een delirium geraakt. Silo schreeuwde tegen het team. Het was een gekkenhuis.'

Mal slurpte wat koffie en scheurde toen een stuk van een pannenkoek af. Hij schoof het over zijn bord alsof hij het misschien ging opeten, en misschien ook niet.

'Neely lag op de vloer, ijs op zijn neus, ijs op zijn hand, bloed dat over zijn oren stroomde. We haatten Rake zoals niemand ooit een ander had gehaat. We hadden zin om iemand te vermoorden, en die arme jongens van East Pike waren het voor de hand liggende doelwit.'

Na een lange stilte zei Neely: 'Silo knielde bij me neer en riep: "Overeind, grote held. We moeten vijf touchdowns scoren."

'Toen Neely opstond, stormden we de kleedkamer uit. Rabbit stak zijn hoofd uit een deuropening, en het laatste wat ik hoorde, was Silo die zei: "Blijf van onze zijlijn vandaan, stelletje klootzakken."'

'Hindu gooide een bebloede handdoek naar hem,' zei Neely, nog steeds zachtjes.

'Tegen het eind van het vierde quarter riepen Neely en Silo het team naar de bank. Ze zeiden tegen ons dat we na de wedstrijd meteen naar de kleedkamer zouden rennen. We zouden de deur op slot doen en pas naar buiten komen als iedereen weg was.'

'En dat deden we. We hebben daar heel lang zitten wachten,' zei Neely. 'Het duurde een uur voordat de boel een beetje tot rust kwam.'

De deur ging achter hen open. Een aantal gasten ging weg en een nieuwe gasten kwamen binnen.

'En jullie hebben er nooit over gepraat?' vroeg Mal.

'Nee. We hadden afgesproken dat we zouden zwijgen,' zei Neely.

'Tot nu toe?'

'Ja. Rake is dood. Het maakt nu niet meer uit.'

'Waarom was het zo'n geheim?'

'We waren bang dat er moeilijkheden van zouden komen,' zei Paul. 'We hadden de pest aan Rake, maar hij was nog steeds Rake. Hij had een speler een stomp gegeven, en niet zomaar iemand. Neely's neus bloedde na de wedstrijd nog steeds.'

'En we waren zo emotioneel,' zei Neely. 'Ik denk dat we alle vijftig huilden toen de wedstrijd voorbij was. We hadden zojuist een wonder voltrokken. We hadden het onmogelijke volbracht. Zonder coaches. Met puur lef. Een stel jongens die onder enorme druk konden presteren. We besloten het geheim te houden. Silo ging de kleedkamer rond, keek iedere speler in de ogen en eiste een gelofte van stilzwijgen.'

'Als iemand het vertelde, zou hij hem vermoorden, zei hij,' zei Paul grinnikend.

Mal goot met ervaren hand een lading stroop over zijn volgende doelwit. 'Dat is een goed verhaal. Dat dacht ik al.'

'Het vreemde is dat de coaches er ook nooit over hebben gepraat,' zei Paul. 'En Rabbit hield ook zijn mond. Totale stilte.'

Smak, smak, en toen zei Mal: 'We hadden al zo'n vermoeden. We wisten dat er in de rust iets was gebeurd. Neely kon geen pass geven, en later zeiden ze dat hij de eerste week op school met zijn hand in het gips liep. We dachten al dat hij iets had geraakt. We dachten dat het misschien Rake was geweest. Er gingen veel geruchten. Zoals je weet, hebben we daar in Messina nooit gebrek aan.'

'Ik heb nooit iemand erover horen praten,' zei Paul.

Een slok koffie. Neely en Paul aten en dronken niet.

'Weten jullie nog,' zei Mal toen, 'die jongen van Tugdale, uit de buurt van Black Rock? Hij kwam een jaar of twee achter jullie aan.'

'Andy Tugdale,' zei Neely. 'Een guard van 64 kilo. Zo vals als een hond op een autosloperij.'

'Ja, die. Jaren geleden pakten we hem op omdat hij zijn vrouw had geslagen. We hadden hem een paar weken in de gevangenis. Ik kaartte met hem. Dat doe ik altijd als we een van Rakes jongens in de cel hebben. Ik geef ze een speciale cel, beter eten, weekendverlof.'

'De privileges van de broederschap,' zei Paul.

'Zoiets. Daar kun jij ook van profiteren, als ik je moet oppakken, bankiertje.'

'Hoe dan ook.'

'Hoe dan ook, op een dag zaten we te praten en toen vroeg ik Tugdale wat er in de rust van die kampioenswedstrijd in 1987 was gebeurd. En meteen klemde hij die kaken op elkaar. Ik kreeg geen woord uit hem los. Ik zei dat ik wist dat er een of andere vechtpartij was geweest. Geen woord. Een paar dagen later probeerde ik het opnieuw. Ten slotte zei hij dat Silo de coaches uit de kleedkamer had geschopt en tegen ze had gezegd dat ze van de zijlijn vandaan moesten blijven. Hij zei dat er grote onenigheid was geweest tussen Rake en Neely. Ik vroeg hem waar Neely zo hard tegen had geslagen dat zijn hand was gebroken. Een muur? Een kluis? Een schoolbord? Niets daarvan. Iemand anders? Bingo. Maar hij wilde niet zeggen wie.'

'Dat is fantastisch politiewerk, Mal,' zei Paul. 'Misschien stem ik de volgende keer op je.'

'Kunnen we nu weggaan?' zei Neely. 'Ik hou niet van dat verhaal.'

Ze reden een halfuur in stilte. Mal reed nog met grote snelheid, met alle lichten aan. Soms leek het of hij wegzakte, slaperig geworden van de machtige pannenkoeken.

'Ik wil best rijden,' zei Neely, toen de auto in de grindberm terecht was gekomen en de kiezels over een afstand van een halve kilometer in het rond vlogen.

'Kan niet. Dat is verboden,' bromde Mal, plotseling klaarwakker.

Vijf minuten later zakte hij weer weg. Neely dacht dat hij misschien beter wakker zou blijven als ze praatten.

'Heb jij Jesse opgepakt?' vroeg Neely, terwijl hij zijn gordel wat strakker trok.

'Nee. De jongens van de staatspolitie kregen hem te pakken.' Mal ging verzitten en nam een sigaret. Er viel een verhaal te vertellen. 'Ze schopten hem uit het team in Miami, en uit het college, gooiden hem bijna in de gevangenis, en al gauw was hij hier terug. Die arme kerel was verslaafd aan het spul en kon niet meer zonder. Zijn familie probeerde van alles, ontwenningsklinieken, afkickcentra, therapie, noem maar op. Het maakte ze helemaal kapot. Het werd de dood van zijn vader. De familie Trapp bezat vroeger bijna duizend hectare van de beste grond hier in de buurt, en nu is het allemaal weg. Zijn arme moeder woont in dat grote huis, en het dak begint in te zakken.'

'Hoe dan ook,' zei Paul behulpzaam vanaf de achterbank.

'Hoe dan ook, hij begon het spul te verkopen, en natuurlijk vond Jesse het niet genoeg om dat in het klein te doen. Hij had wat contacten in Miami, van het een kwam het ander, en al gauw had hij een goeie handel opgezet. Hij had zijn eigen organisatie, en hij had veel ambitie.'

'Is er niet iemand omgekomen?' vroeg Paul.

'Daar kom ik nog op,' bromde Mal tegen zijn spiegeltje.

'Ik probeer alleen maar te helpen.'

'Ik heb altijd al een bankier op mijn achterbank willen hebben. Een echt witteboordentype.'

'En ik heb altijd al beslag willen leggen bij een sheriff.'

'Hou even op, jullie,' zei Neely. 'Je kwam net bij het beste deel van het verhaal.'

Mal ging weer verzitten en wreef daarbij met zijn dikke buik over het stuur. Nog één norse blik in het spiegeltje, en toen: 'De narcoticajongens van de staatspolitie gingen langzaam te werk, zoals ze altijd doen. Ze pakten een kleine jongen in de organisatie op, bedreigden hem met dertig jaar gevangenis en sodomie, haalden hem over om voor hen te gaan werken. Hij regelde een uitwisseling. De rechercheurs zaten in de bomen en achter de rotsen. Het ging niet goed, er werd naar pistolen gegrepen en er werd geschoten. Een rechercheur kreeg een kogel in zijn oor en stierf ter plekke. De informant werd geraakt, maar overleefde het. Jesse was nergens in de buurt, maar het waren wel zijn mensen. Hij kreeg hoge prioriteit, en binnen een jaar stond hij voor de edelachtbare en kreeg hij 28 jaar, zonder mogelijkheid van vervroegde vrijlating.'

'28 jaar,' herhaalde Neely.

'Ja. Ik zat in de rechtszaal, en ik had nog medelijden met dat stuk verdriet ook. Ik bedoel, daar had je iemand die het in zich had om in de NFL te spelen. Grootte, snelheid, fel als de hel, en Rake had hem gedrild vanaf zijn veertiende. Rake zei altijd dat als Jesse naar A&M was gegaan hij niet op het verkeerde pad zou zijn geraakt. Rake zat ook in de rechtszaal.'

'Hoeveel jaar zit hij nu al?' vroeg Neely.

'Negen, misschien tien jaar. Ik tel ze niet. Hebben jullie honger?'

'We hebben net gegeten,' zei Neely.

'Heb je nou al weer honger?' zei Paul.

'Nee, maar er is daar een tent waar mevrouw Armstrong pecan-fudge maakt. Daar rij ik niet graag zomaar voorbij.'

'Laten we nou doorrijden,' zei Neely. 'Je moet nee kunnen zeggen.'

'Eén dag tegelijk, Mal,' zei Paul vanaf de achterbank.

De Penitentiare Inrichting Buford lag in vlak boomloos boerenland, aan het eind van een eenzame verharde weg met kilometers van draadgazen hekwerk aan weerskanten. Neely was al depressief voordat er een gebouw in zicht kwam.

Mal had van tevoren getelefoneerd om alles te regelen.

Ze mochten de poort passeren en kwamen dieper in het gevangeniscomplex. Bij een controlepost wisselden ze van voertuig. Ze verruilden de ruime patrouillewagen voor de smalle bankjes van een verlengd golfkarretje. Mal zat voorin en praatte aan een stuk door met de bestuurder, een cipier die net zoveel munitie en ander materieel aan zijn uniform had hangen als de sheriff zelf. Neely en Paul zaten samen op de achterbank, achteruit rijdend. Ze kwamen langs nog meer gazen hekken en scheermesprikkeldraad. Ze kregen heel wat te zien toen ze langs Kamp A pruttelden, een lang en naargeestig betonnen gebouw met gedetineerden die op de voortrap zaten. Aan de ene kant was een basketbalwedstrijd aan de gang. Alle spelers waren zwart. Aan de andere kant was een volleybalwedstrijd met alleen blanken aan de gang. De Kampen B, C en D waren al net zo somber. Hoe kon iemand hier in leven blijven, vroeg Neely zich af.

Op een kruispunt sloegen ze af en kwamen al gauw bij Kamp E, dat wat nieuwer leek. Bij Kamp F stopten ze en liepen vijftig meter naar een punt waar de omheining een hoek van negentig graden maakte. De cipier mompelde iets in zijn radio, wees toen met zijn vinger en zei: 'Loop langs die omheining naar de witte paal. Hij komt zo naar buiten.' Neely en Paul begonnen langs de omheining te lopen, waar het gras kort geleden was gemaaid. Mal en de cipier bleven staan en verloren hun belangstelling.

Achter het gebouw en naast het basketbalveld lag een betonnen vloer, en ze zagen daar allerlei verschillende halters en opdrukbanken en stapels gewichten. Een aantal erg grote zwarte en blanke mannen was in de ochtendzon aan het trainen. Hun blote borst en rug glommen van het zweet. Het was duidelijk dat ze elke dag urenlang aan krachttraining deden.

'Daar heb je hem,' zei Paul. 'Hij is zich net aan het opdrukken, daar links.'

'Dat is Jesse,' zei Neely. Hij keek gefascineerd naar een tafereel dat maar weinig mensen ooit te zien krijgen.

Een gedetineerde in een speciaal uniform liep naar Jesse Trapp toe en zei iets tegen hem. Jesse keek meteen om en tuurde langs de omheining tot hij twee mannen zag. Hij gooide een handdoek op een bank en begon langzaam, doelbewust, als een echte Spartan, te lopen: over het beton, over het lege basketbalveld en over het gras dat langs de omheining rond Kamp F groeide.

Op veertig meter afstand leek hij groot, maar toen Jesse dichterbij kwam, zagen ze pas hoe kolossaal zijn borst en hals en armen waren geworden. Ze hadden maar één seizoen met hem gespeeld – hij zat in de vierde klas toen zij in de tweede zaten – en ze hadden hem naakt in de kleedkamer gezien. Ze hadden hem zware halters omhoog zien zwaaien in de fitnessruimte. Ze hadden hem alle gewichthefrecords van de Spartans zien breken.

Hij leek nu twee keer zo groot. Zijn nek was zo dik als de stronk van een eik en de spieren van zijn schouders tot zijn hals waren zo breed als een deur. Zijn biceps en triceps hadden vele malen de normale omvang. Zijn buik leek op een kasseienstraat.

Hij had gemillimeterd haar waardoor zijn vierkante kop nog symmetrischer leek, en toen hij bleef staan en op hen neerkeek, glimlachte hij. 'Hé, jongens,' zei hij, nog een beetje hijgend van zijn oefeningen met de gewichten.

'Hallo, Jesse,' zei Paul.

'Hoe gaat het?'

'Goed, ik mag niet klagen. Blij dat ik jullie zie. Ik krijg niet veel bezoek.'

'We hebben slecht nieuws, Jesse,' zei Paul.

'Dat dacht ik al.'

'Rake is dood. Hij is gisteravond overleden.'

Hij liet zijn kin naar zijn gigantische borst zakken. Toen het nieuws tot hem doordrong, was het of hij vanaf zijn middel naar boven toe een beetje verschrompelde. 'Mijn moeder schreef me dat hij ziek was,' zei hij met zijn ogen dicht.

'Het was kanker. De diagnose is ongeveer een jaar geleden gesteld, maar het einde kwam vrij snel.'

'Man o man. Ik dacht dat Rake het eeuwige leven had.'

'Ik denk dat we dat allemaal dachten,' zei Neely.

Zijn tien jaren in de gevangenis hadden hem geleerd al zijn emoties onder controle te houden. Hij slikte en deed zijn ogen open. 'Bedankt voor jullie komst. Dat hadden jullie niet hoeven te doen.'

'We wilden je zien, Jesse,' zei Neely. 'Ik denk heel vaak aan je.'

'De grote Neely Crenshaw.'

'Lang geleden.'

'Waarom schrijf je me geen brieven? Ik moet hier nog achttien jaar zitten.'

'Dat zal ik doen, Jesse. Ik beloof het.'

'Bedankt.'

Paul schopte in het gras. 'Zeg Jesse, er is morgen een herdenkingsdienst op het veld. De meeste jongens van Rake zullen er zijn, je weet wel, om afscheid te nemen. Mal denkt dat hij misschien aan wat touwtjes kan trekken om je aan een verlofpas te helpen.'

'Vergeet het maar, man.'

'Je hebt daar veel vrienden, Jesse.'

'Vroegere vrienden, Paul, mensen die ik heb teleurgesteld. Ze zullen allemaal wijzen en zeggen: "Kijk, daar heb je Jesse Trapp. Dat had een heel grote kunnen worden, maar hij raakte aan de drugs. Dat heeft zijn leven verwoest. Leer van hem, kinderen. Blijf van die rotzooi af." Nee, dank je. Ik wil niet dat ze naar me wijzen.'

'Rake zou je daar willen hebben,' zei Neely.

Zijn kin ging weer omlaag en zijn ogen gingen dicht. Er ging een moment voorbij. 'Ik hield van Eddie Rake zoals ik van niemand anders in mijn leven heb gehouden. Hij zat in de rechtszaal op de dag dat ik werd veroordeeld. Ik had mijn eigen leven verwoest, en daar schaamde ik me diep voor. Ik had mijn ouders ongelukkig gemaakt, en daar was ik ziek van. Maar wat ik vooral zo erg vond, was dat ik in Rakes ogen had gefaald. Dat doet nog steeds pijn. Jullie mogen hem zonder mij begraven.'

'Je moet het zelf weten, Jesse,' zei Paul.

'Dank je, maar ik ga liever niet.'

Er volgde een lange stilte waarin ze alle drie knikten en naar het gras keken. Ten slotte zei Paul: 'Ik kom je moeder geregeld tegen. Het gaat goed met haar.'

'Dank je. Ze komt de derde zondag van elke maand bij me op bezoek. Jij zou ook eens langs kunnen komen om me gedag te zeggen. Het is hier eenzaam.'

'Dat zal ik doen, Jesse.'

'Beloof je dat?'

'Ik beloof het. En ik zou graag willen dat je over mor-
gen nadenkt.'
'Daar heb ik al over nagedacht. Ik zal een gebed voor
Rake zeggen, en jullie kunnen hem begraven.'
'Dat is redelijk.'
Jesse keek naar rechts. 'Is dat Mal daar?'
'Ja, we zijn met hem mee gereden.'
'Zeg tegen hem dat hij kan doodvallen.'
'Dat zal ik doen, Jesse,' zei Paul. 'Met genoegen.'
'Dank je, jongens,' zei Jesse. Hij draaide zich om en
liep weg.

Op donderdagmiddag om vier uur ging de menigte bij
de poort van Rake Field opzij en manoeuvreerde de
lijkwagen zich achteruitrijdend in positie. Het achter-
portier ging open en acht dragers vormden twee korte
rijen en trokken de kist eruit. Geen van de acht was een
vroegere Spartan. Eddie Rake had veel over de bijzonderheden van zijn begrafenis nagedacht, en hij had besloten geen favorieten te noemen. Zijn dragers waren
voormalige assistent-coaches.
De stoet bewoog zich langzaam over de baan. De kist
werd gevolgd door mevrouw Lila Rake, haar drie dochters en hun echtgenoten, en een flinke verzameling
kleinkinderen. Daarachter een priester. Daarachter de
slagwerkers van het Spartans-muziekkorps, die een
zachte roffel lieten horen toen ze langs de thuistribune
kwamen.
Langs het veld, bij de 40-yardlijn, stond een grote witte
tent, waarvan de palen in emmers zand waren veran-
kerd om het heilige bermudagras van Rake Field te beschermen. Bij de 50-yardlijn, precies op de plaats waar

hij zo lang en zo goed had gecoacht, hielden de dragers halt. De kist werd op een antieke Ierse dodenwaketafel gezet, eigendom van Lila's beste vriendin, en was al gauw omringd door een zee van bloemen. De familie verzamelde zich voor een kort gebed rond de kist. Toen vormden ze een ontvangstrij.

De rij strekte zich uit over de baan, tot buiten de poort, en op de weg die naar Rake Field leidde, stonden de auto's bumper aan bumper.

Neely reed drie keer langs het huis voordat hij de moed had om te stoppen. Er stond een huurauto op het pad. Cameron was terug. Lang na het avondeten klopte hij op de deur, bijna net zo nerveus als de eerste keer dat hij dat had gedaan. Toen was hij – vijftien jaar oud, pas zijn rijbewijs gehaald, met de auto van zijn vader, twintig dollar op zak, het donshaar van zijn gezicht geschraapt – naar dit huis gekomen om voor het eerst met Cameron uit te gaan.

Honderd jaar geleden.

Mevrouw Lane deed open, net als die eerste keer, maar ditmaal herkende ze Neely niet. 'Goedenavond,' zei ze zachtjes, en ze keek hem beleefd aan. Ze was nog mooi; ze weigerde oud te worden.

'Mevrouw Lane, ik ben het, Neely Crenshaw.'

Zodra hij dat zei, herkende ze hem. 'Nee maar, Neely, hoe gaat het met je?'

Hij nam aan dat zijn naam jarenlang een vloek was geweest in dit huis en wist niet hoe hij ontvangen zou worden. Maar de Lanes waren wellevende mensen, een beetje ontwikkelder en welgestelder dan de meeste inwoners van Messina. Als ze wrok koesterden, en daar twijfelde hij niet aan, lieten ze daar niets van blijken. In elk geval niet de ouders.

'Goed,' zei hij.

'Wil je binnenkomen?' Ze hield de deur open. Het was een halfslachtig gebaar.

'Ja, dank u.' In de hal keek hij om zich heen en zei: 'Nog steeds een erg mooi huis, mevrouw Lane.'

'Dank je. Wil je wat thee?'

'Nee, dank u. Eigenlijk kom ik voor Cameron. Is ze hier?'

'Ja.'

'Ik zou haar graag gedag willen zeggen.'

'Ik vind het erg jammer van coach Rake. Ik weet dat hij alles voor jullie jongens betekende.'

'Ja, mevrouw.' Hij keek om zich heen en hoorde stemmen aan de achterkant van het huis.

'Ik ga Cameron halen.' Ze verdween. Neely wachtte en wachtte en keek ten slotte door de grote ovale ruit in de voordeur naar de donkere straat.

Hij hoorde voetstappen achter zich, en toen een vertrouwde stem. 'Hallo, Neely,' zei Cameron. Hij draaide zich om en ze keken elkaar aan. Eerst kon hij geen woord uitbrengen. Hij haalde zijn schouders op en zei ten slotte: 'Ik kwam hier langs rijden en wilde je even gedag zeggen. Het is lang geleden.'

'Dat is zo.'

De ernst van zijn vergissing drong met een schok tot hem door.

Ze zag er veel beter uit dan op de high school. Haar dichte kastanjebruine haar zat in een paardenstaart. Haar donkerblauwe ogen keken door een stijlvolle designerbril. Ze droeg een wijde katoenen trui en een strakke verbleekte spijkerbroek die liet zien dat dit een dame was die in vorm bleef. 'Je ziet er geweldig uit,' zei hij, terwijl hij haar bewonderde.

'Jij ook.'

'Kunnen we praten?'

'Waarover?'

'Leven, liefde, football. Er is een grote kans dat we elkaar nooit meer zien, en ik heb je iets te zeggen.'

Ze deed de deur open. Ze liepen over de brede veranda en gingen op het trapje zitten. Ze lette er goed op dat ze een eind van hem vandaan zat. Vijf minuten gingen in stilte voorbij.

'Ik heb met Nat gesproken,' zei hij. 'Hij zei dat je in Chicago woont, dat je gelukkig getrouwd bent en twee dochtertjes hebt.'

'Ja.'

'Met wie ben je getrouwd?'

'Jack.'

'Welke Jack?'

'Jack Seawright.'

'Waar komt hij vandaan?'

'Ik heb hem in Washington ontmoet. Ik ben daar na mijn studie gaan werken.'

'Hoe oud zijn je dochters?'

'Vijf en drie.'

'Wat doet Jack?'

'Bagels.'

'Bagels?'

'Ja, die ronde broodjes. We hadden geen bagels in Messina.'

'Goed. Je bedoelt, een bagelwinkel?'

'Winkels.'

'Meer dan een?'

'146.'

'Dus het gaat jullie goed?'

'Zijn bedrijf is acht miljoen waard.'

'Au. Mijn bedrijfje is twaalfduizend waard, op een goede dag.'

'Je zei dat je iets te zeggen had.' Ze was zelfs nog geen klein beetje ontdooid. Blijkbaar had ze geen enkele belangstelling voor het leven dat hij leidde.

Neely hoorde voetstappen op de houten vloer van de hal. Ongetwijfeld was mevrouw Lane teruggekomen en probeerde ze te luisteren. Sommige dingen veranderden nooit.

Er was een beetje wind opgestoken. Eikenbladeren ritselden over de klinkers van het trottoir. Neely wreef zijn handen over elkaar en zei: 'Nou, daar gaat ie dan. Lang geleden heb ik iets heel ergs gedaan, iets waarvoor ik me al vele jaren schaam. Ik was fout. Het was dom, gemeen, egoïstisch, kwetsend van me, en hoe ouder ik word, des te meer spijt krijg ik ervan. Ik bied je mijn verontschuldigingen aan, Cameron, en ik vraag je me te vergeven.'

'Ik vergeef het je. Denk er maar niet meer aan.'

'Ik moet eraan denken. En wees niet zo aardig.'

'We waren nog maar tieners, Neely. Zestien jaar oud. Het was een ander leven.'

'We waren verliefd, Cameron. Ik aanbad je vanaf de tijd dat we tien waren en elkaars hand vasthielden achter de sporthal, omdat ik bang was dat de andere jongens me zouden zien.'

'Ik wil dit echt niet horen.'

'Goed, mag ik mijn hart luchten? En wil je proberen het pijnlijk te maken?'

'Ik ben eroverheen gekomen, Neely, na verloop van tijd.'

'Ik misschien niet.'

'Kom nou! Word nou eindelijk volwassen. Je bent niet meer de footballheld.'

'Goed zo. Dat wil ik horen. Geef me de volle laag maar.'

'Ben je hier gekomen om ruzie te maken, Neely?'

'Nee. Ik ben gekomen om te zeggen dat het me spijt.'

'Dat heb je gezegd. Wil je nu weggaan?'

Hij beet op zijn tong en liet enkele seconden voorbijgaan. Toen zei hij: 'Waarom wil je dat ik wegga?'

'Omdat ik je niet aardig vind, Neely.'

'Je moet me ook niet aardig vinden.'

'Ik heb er tien jaar over gedaan om jou te vergeten. Dat lukte me pas toen ik verliefd werd op Jack. Ik hoopte dat ik je nooit meer zou zien.'

'Denk je ooit aan mij?'

'Nee.'

'Nooit?'

'Misschien één keer per jaar, in een moment van zwakte. Jack keek een keer naar een footballwedstrijd. De quarterback raakte geblesseerd en werd op een brancard afgevoerd. Toen dacht ik aan jou.'

'Een prettige gedachte.'

'Niet onprettig.'

'Ik denk de hele tijd aan jou.'

Er kwam een kleine barst in het ijs. Ze blies haar adem uit en keek geërgerd. Toen boog ze zich naar voren en liet beide ellebogen op beide knieën rusten. De deur ging achter hen open en mevrouw Lane kwam met een dienblad naar buiten. 'Ik dacht dat jullie misschien wel wat warme chocolademelk wilden,' zei ze. Ze zette het op de rand van de veranda, in de grote ruimte tussen hen in.

'Dank u,' zei Neely.

'Het is goed tegen de kilte,' zei mevrouw Lane. 'Cameron, je zou sokken moeten aantrekken.'

'Ja, moeder.'

De deur ging dicht en ze raakten de warme chocolademelk niet aan. Neely wilde een lang gesprek dat vele dingen en vele jaren bestreek. Ze had gevoelens, sterke gevoelens, en daar wilde hij over horen. Hij wilde tranen en woede, misschien zelfs een fikse ruzie. En hij wilde echt vergeven worden.

'Je keek naar een footballwedstrijd?' zei hij.

'Nee. Jack keek daarnaar. Ik kwam toevallig voorbijlopen.'

'Is hij een footballliefhebber?'

'Niet echt. Als hij gek op footballen was geweest, zou ik niet met hem zijn getrouwd.'

'Dus je hebt nog steeds een hekel aan football?'

'Dat kun je wel zeggen. Ik ging naar de Hollins University, alleen voor meisjes, en kwam dus niet met football in aanraking. Mijn oudste dochter gaat naar een kleine particuliere school, geen football.'

'Waarom ben je nu dan hier?'

'Mevrouw Lila. Ze heeft me twaalf jaar pianoles gegeven.'

'Ja.'

'Ik ben hier absoluut niet om Eddie Rake te eren.' Cameron pakte een kopje op en hield het in beide handen. Neely deed hetzelfde.

Toen duidelijk werd dat hij geen aanstalten maakte om

weg te gaan, werd ze iets tegemoetkomender. 'Op Hollins had ik een huisgenote met een broer die voor State speelde. Toen ik in ons tweede jaar haar kamer binnenkwam, keek ze naar een wedstrijd. En daar was de grote Neely Crenshaw. Hij rende voor Tech over het veld, de supporters werden helemaal wild, en de commentatoren prezen die geweldige jonge quarterback de hemel in. Ik dacht: dat is goed. Dat wilde hij altijd zijn. Een grote held. Aanbeden door het publiek. Meisjesstudentes die hem over de hele campus achtervolgen, die zich voor zijn voeten werpen. Constante aanbidding. De held van iedereen. Dat is Neely.'

'Twee weken later lag ik in het ziekenhuis.'

Ze haalde haar schouders op. 'Dat wist ik niet. Ik volgde je geweldige carrière niet.'

'Wie heeft het je verteld?'

'Ik was thuis in de kerstvakantie, en ik ging lunchen met Nat. Hij vertelde me dat je nooit meer zou spelen. Het is zo'n stomme sport. Jongens en jonge mannen verknoeien hun lichaam voor de rest van hun leven.'

'Ja, dat is zo.'

'Dus vertel eens, Neely, hoe ging het met de meisjes? Hoe gaat het met de sletjes en groupies als je niet meer de held bent?'

'Die verdwijnen.'

'Dat moet een dreun voor je zijn geweest.'

Nu begon het gesprek tot iets te leiden, vond Neely. Het gif kwam tevoorschijn.

'Alles aan die blessure was ellendig.'

'Dus je werd een gewoon mens, net als de rest van ons?'

'Ik denk het, maar wel met veel bagage. Het valt niet mee om een vergeten held te zijn.'

'En je bent je nog steeds aan het aanpassen?'

'Dat zou je kunnen zeggen. Als je op je achttiende beroemd bent, ben je de rest van je leven bezig weg te zakken. Je droomt van je gloriedagen, maar je weet dat die voorgoed voorbij zijn. Ik wilde dat ik nooit een football had gezien.'

'Dat geloof ik niet.'

'Dan zou ik nu een normale man met twee gezonde benen zijn. En dan zou ik die fout met jou niet hebben gemaakt.'

'O alsjeblieft, Neely, word nou niet sentimenteel. We waren nog maar zestien.'

Weer een lange stilte. Ze namen slokjes chocolademelk en bereidden zich voor op de volgende woordenwisseling. Neely had zich wekenlang op deze ontmoeting voorbereid. Cameron had geen idee gehad dat ze hem ooit nog zou zien. Toch wist hij dat het verrassingselement niet in zijn voordeel werkte. Ze zou alle antwoorden paraat hebben.

'Je zegt niet veel,' zei hij.

'Ik heb niets te zeggen.'

'Kom nou, Cameron, dit is je kans om me de volle laag te geven.'

'Waarom zou ik? Je komt hierheen om slechte herinneringen op te halen. Ik heb er jaren over gedaan om die dingen te vergeten. Hoe kom je er toch bij dat ik naar school terug wil om opnieuw mijn vingers te branden? Ik heb dat verwerkt, Neely. Jij blijkbaar niet.'

'Je wilt weten hoe het met Screamer verder is gegaan?'

'Welnee.'

'Ze werkt als serveerster in een derderangs casino in Las Vegas, dik en lelijk. Ze is tweeëndertig, maar lijkt vijftig. Dat alles volgens Paul Curry, die haar daar heeft gezien. Het schijnt dat ze naar Hollywood gegaan is, geprobeerd heeft om via het bed aan de top te komen en het moest afleggen tegen een miljoen andere mooie meiden die het op dezelfde manier probeerden.'

'Geen verrassing.'

'Paul zei dat ze er moe uitzag.'

'Dat zal vast wel. Ze zag er op school ook al moe uit.'

'Voel je je nu beter?'

'Ik voelde me geweldig voordat jij hier kwam, Neely. Ik interesseer me niet voor jou of je vriendinnetje.'

'Kom nou, Cameron. Wees eens eerlijk. Het moet je toch wel goed doen om dat te horen. Screamer ligt bijna in de goot, terwijl het jou blijkbaar erg goed gaat. Je hebt gewonnen.'

'Ik deed niet mee aan een wedstrijd. Het kan me niet schelen.'

'Toen kon het je wel wat schelen.'

Ze zette het kopje weer op het dienblad en boog zich naar voren. 'Wat wil je dat ik zeg, Neely? Zal ik de dingen zeggen die voor de hand liggen? Toen ik een tienermeisje was, hield ik zielsveel van je. Dat zal je niet verbazen, want ik vertelde het je elke dag. En jij zei hetzelfde tegen mij. We brachten alle momenten met elkaar door, zaten samen in de klas, gingen overal samen naartoe. Maar jij werd de grote footballheld, en iedereen zat achter je aan. Vooral Screamer. Ze had lange benen en een mooi achterste en korte rokjes en grote tieten en blond haar, en op de een of andere manier kreeg ze je op de achterbank van haar auto. Je besloot voor meer van hetzelfde te kiezen. Ik was een aardig meisje, en daar heb ik een prijs voor betaald. Je brak mijn hart, vernederde me in het bijzijn van iedereen die ik kende, en je hebt voor lange tijd mijn leven ver-woest. Ik kon bijna niet wachten tot ik deze stad uit was.'

'Ik kan nog steeds niet geloven dat ik dat deed.'

'Nou, je deed het.' Haar stem klonk nerveus en sloeg een beetje over. Ze zette haar tanden op elkaar, want ze wilde geen emotie tonen. Hij zou haar niet meer aan het huilen maken.

'Het spijt me zo erg.' Neely stond langzaam op, waar-bij hij erop lette dat hij niet te veel gewicht op zijn lin-kerknie liet rusten. Hij legde zijn hand op haar arm en zei: 'Dank je, dat je me de kans gaf om dat te zeggen.'

'Geen dank.'

'Dag.'

Hij liep een beetje mank over het pad en door het hek. Toen hij bij zijn auto was, riep ze: 'Neely, wacht.'

Vanwege zijn vurige romance met Brandy Skimmel – alias Screamer en nu ook, bij zeer weinigen, bekend als Tessa Canyon – kende Neely alle steegjes en achter-straatjes van Messina. Hij reed om Karr's Hill heen, waar ze even stopten om naar het footballveld te kij-ken. De rij afscheidnemers strekte zich nog over de baan en tot buiten de poort uit. De lichtmasten aan de thuiskant waren aan. Op het parkeerterrein heerste een drukte van belang, auto's die kwamen en gingen.

'Ze zeggen dat Rake hier altijd naar de wedstrijd zat te kijken, nadat ze hem ontslagen hadden.'

'Ze hadden hem in de gevangenis moeten zetten,' zei

Cameron, haar eerste woorden sinds ze haar ouderlijk huis hadden verlaten.

Ze parkeerden bij een oefenveld en glipten door een hekje aan de bezoekerskant. Ze klommen naar de bovenste rij van de tribune en gingen daar zitten, nog steeds een eind van elkaar vandaan, zij het dichter bij elkaar dan op de veranda. Een hele tijd keken ze naar wat er aan de andere kant van het veld gebeurde.

De witte tent verhief zich als een kleine piramide voor de thuistribune. De kist daaronder was nauwelijks te zien. Er waren erg veel mensen op de wake afgekomen. Mevrouw Lila en de familie waren weg. Er stonden rekken vol bloemen om de tent heen en langs de zijlijn. Een stille stoet van mensen schuifelde over de baan. Allemaal wachtten ze geduldig op hun kans om het register te tekenen, de kist te zien, misschien een traan te plengen en afscheid te nemen van hun legende. Op de tribune achter hen zaten Rakes jongens van alle leeftijden in kleine groepjes bij elkaar. Sommigen praatten, sommigen lachten, de meesten keken alleen maar naar het veld en de tent en de kist.

Er zaten maar twee mensen op de bezoekerstribune, en niemand lette op hen.

Cameron sprak als eerste, erg zachtjes. 'Wie zijn die mensen daar op de tribune?'

'Spelers. Ik zat daar gisteravond en eergisteravond ook. We zaten te wachten tot Rake doodging.'

'Dus ze komen allemaal terug?'

'De meesten. Jij bent ook teruggekomen.'

'Natuurlijk. We begraven onze beroemdste stadgenoot.'

'Jij mocht Rake niet erg, hè?'

'Ik was geen supporter van hem. Mevrouw Lila is een sterke vrouw, maar ze kon niet tegen hem op. Hij was een dictator op het veld en dat kon hij niet goed afzetten als hij thuiskwam. Nee, ik moest niets van Eddie Rake hebben.'

'Je had een hekel aan football.'

'Ik had een hekel aan jou, en daardoor ook aan football.'

'Goed zo.'

'Het was idioot. Volwassen mannen die huilden na een nederlaag. De hele stad die met elke wedstrijd meeleefde. Gebedsontbijten op vrijdagochtend, alsof het God iets kan schelen wie een partijtje schoolfootball wint. Er werd meer geld aan het footballteam uitgegeven dan aan alle andere leerlingen samen. Ze verafgoodden jongens van zeventien die er al gauw van overtuigd waren dat ze het echt waard waren om verafgood te worden. De twee maten waarmee gemeten werd – als een footballspeler bedrog pleegde met een proefwerk, werd dat meteen onder het tapijt geveegd. Als iemand anders bedrog pleegde, werd hij geschorst. Die stomme kleine meisjes die niet konden wachten om zich aan een Spartan te geven. Alles tot meerdere eer en glorie van het team. Messina verlangt van zijn jonge maagden dat ze alles opofferen. O ja, en dat was ik bijna vergeten. De Pep Girls! Elke speler krijgt zijn eigen slavinnetje dat op woensdag koekjes voor hem bakt en op donderdag een bord in zijn tuin hangt en op vrijdag zijn helm oppoetst, en wat krijg je op zaterdag, Neely, een vluggertje?'

'Alleen als je het wilt.'

'Het is een zielig gedoe. Eigenlijk ben ik blij dat je mij daaruit hebt geduwd.'

Nu hij er vijftien jaar later op terugkeek, leek het hem inderdaad allemaal erg belachelijk.

'Maar je kwam naar de wedstrijden,' zei Neely.

'Naar een paar. Heb jij enig idee hoe het hier in de stad op vrijdagavond is, buiten het veld? Er is nergens een sterveling te bekennen. Phoebe Cox en ik slopen hier wel eens heen, aan de bezoekerskant, om naar de wedstrijd te kijken. We wilden altijd dat Messina verloor, maar dat gebeurde nooit, niet hier. We gaven af op het muziekkorps en de cheerleaders en de Pep Girls en al het andere, en dat deden we omdat we er geen deel van uitmaakten. Ik kon bijna niet wachten tot ik naar college kon.'

'Ik wist dat je hierboven zat.'

'Nee, dat wist je niet.'

'Ik zweer het je. Ik wist het.'

Er zweefde een vage lach over het veld; blijkbaar was er weer een goed Rake-verhaal verteld aan de overkant. Neely kon Silo en Paul nog net met een stuk of tien anderen onder de persbox zien zitten. Het bier vloeide rijkelijk.

'Nadat jij voor dat nummertje op de achterbank had gekozen,' zei ze, 'en mij aan de kant had gezet, moest ik nog twee jaar in deze stad wonen. Soms zag ik je op de gang, of in de bibliotheek, of zelfs in het klaslokaal, en dan keken we elkaar heel even aan. Die arrogante blik was er dan even niet, die hooghartige houding van de grote held. Gedurende een fractie van een seconde keek je me aan als een echt mens, en dan wist ik dat je nog steeds om me gaf. Ik zou je zo weer hebben teruggenomen.'

'En ik wilde jou.'

'Dat is moeilijk te geloven.'

'Het is waar.'

'Maar natuurlijk, de geneugten van de seks waren belangrijker.'

'Ik kon het niet helpen.'

'Gefeliciteerd, Neely. Jij en Screamer begonnen aan jullie avontuur toen jullie zestien waren. En moet je haar nu eens zien. Dik en vermoeid.'

'Heb je ooit het gerucht gehoord dat ze zwanger was?'

'Meen je dat nou? De geruchten zwermen als muggen door deze stad.'

'In de zomer voor ons laatste jaar zei ze tegen me dat ze zwanger was.'

'Wat een verrassing. Elementaire biologie.'

'En dus reden we naar Atlanta voor een abortus, en daarna reden we terug naar Messina. Ik zweer je dat ik dit nooit aan iemand heb verteld.'

'Vierentwintig uur rust, en dan weer opnieuw beginnen.'

'Zoiets.'

'Hoor eens, Neely, jouw seksleven komt me echt de strot uit. Het heeft jarenlang als een vloek op mijn leven gerust. Als je niet van onderwerp verandert, stap ik op.'

Weer een lange, pijnlijke stilte. Ze keken naar de rij mensen aan de overkant en zochten naar iets om te zeggen. Er blies een lichte bries in hun gezicht en ze had haar armen over elkaar geslagen. Hij vocht tegen het verlangen om zijn arm uit te steken en haar tegen zich aan te drukken. Dat zou niet gaan.

'Je hebt me niets gevraagd over het leven dat ik tegenwoordig leid,' zei hij.

'Sorry. Ik denk al zo lang niet meer aan je. Ik kan niet liegen, Neely. Jij speelt gewoon geen rol meer in mijn leven.'

'Je was altijd al bot.'

'Botheid is goed. Het bespaart zoveel tijd.'

'Ik verkoop onroerend goed, woon alleen met een hond, ga om met een meisje dat ik eigenlijk niet zo graag mag, ga om met een ander meisje dat twee kinderen heeft, en ik mis mijn ex-vrouw.'

'Waarom zijn jullie gescheiden?'

'Ze kon er niet meer tegen. Ze had twee keer een miskraam, de tweede in de vierde maand. Ik was zo dom om tegen haar te zeggen dat ik ooit voor een abortus had betaald, en toen gaf ze mij de schuld van die miskramen. Ze had gelijk. De echte prijs van een abortus is veel hoger dan die rottige driehonderd dollar in de kliniek.'

'Wat erg.'

'Op de week af tien jaar nadat Screamer en ik onze trip naar Atlanta maakten, had ze de tweede miskraam. Een jongetje.'

'Ik wil nu echt weg.'

'Sorry.'

Ze zaten weer op de verandatrap. De lichten waren uit. Meneer en mevrouw Lane sliepen. Het was elf uur geweest. 'Ik vind dat je nu moet gaan,' zei Cameron na een paar minuten.

'Je hebt gelijk.'

'Je zei eerder dat je nog de hele tijd aan me denkt. Ik zou graag willen weten waarom.'

'Ik had geen idee hoeveel pijn een gebroken hart kan doen, totdat mijn eerste vrouw haar spullen pakte en wegging. Het was een nachtmerrie. Voor het eerst besefte ik wat jij had doorgemaakt. Ik besefte hoe wreed ik was geweest.'

'Je komt er wel overheen. Het duurt ongeveer tien jaar.'

'Dank je.'

Hij liep over het trottoir, draaide zich om en liep terug. 'Hoe oud is Jack?' vroeg hij.

'Zevenendertig.'

'Dan zou hij, statistisch gezien, als eerste moeten sterven. Bel me als hij er niet meer is. Ik zal wachten.'

'Kom nou.'

'Ik zweer het je. Is het niet geruststellend om te weten dat iemand altijd op je zal wachten?'

'Ik heb daar nog nooit over nagedacht.'

Hij boog zich naar haar toe en keek in haar ogen. 'Mag ik je op je wang kussen?'

'Nee.'

'Er is iets bijzonders aan een eerste liefde, Cameron, iets wat ik altijd zal missen.'

'Dag, Neely.'

'Mag ik zeggen dat ik van je hou?'

'Nee. Dag, Neely.'

Vrijdag

Messina rouwde als nooit tevoren. Vrijdagmorgen om tien uur waren de winkels en cafetaria's en kantoren rond het plein allemaal gesloten. Alle leerlingen waren van school naar huis gestuurd. De rechtbank ging dicht. De fabrieken aan de rand van de stad gingen ook dicht, een vrije dag, al verkeerden maar weinig mensen in een feestelijke stemming.

Mal Brown posteerde zijn agenten bij de high school, waar in de loop van de ochtend een file was ontstaan op de weg naar Rake Field. Om elf uur waren de thuistribunes bijna vol en verzamelden de ex-spelers, de vroegere helden, zich rond de tent bij de 50-yardlijn. De meesten droegen hun groene shirts, een geschenk dat elke vierdejaars meekreeg. En de meeste shirts zaten wat strakker om het lijf dan vroeger. Enkelen – de advocaten en artsen en bankiers – droegen colbertjes over hun wedstrijdshirt, maar het groen was nog zichtbaar.

Vanaf de tribunes keken de supporters naar de tent en het veld en genoten ze van de kans om hun oude helden aan te wijzen. Degenen met nummers waarvan officieel afscheid was genomen, wekten de meeste opwinding. 'Daar heb je Roman Armstead, nummer 81, hij heeft voor de Packers gespeeld.' 'Daar is Neely, nummer 19.'

Het strijkkwartet van de hoogste klas speelde onder de tent en het geluidssysteem voerde de muziek naar alle hoeken van het veld. De mensen bleven binnenstromen.

Er zou geen kist zijn. Eddie Rake was al begraven. Mevrouw Lila en haar familie waren zonder plichtplegingen naar het veld gekomen en hadden een halfuur lang voormalige spelers omhelsd voor de tent. Kort voor twaalf uur kwam de priester, en toen kwam er een koor, maar de menigte was nog steeds niet tot rust gekomen. Toen de thuistribunes vol waren, gingen nieuwkomers voor het hek langs de baan staan. Niemand had haast. Dit was een moment waar Messina van zou genieten. De stad zou dit nooit vergeten.

Rake wilde zijn jongens op het veld hebben, dicht opeen bij het kleine podium in de tent. En hij wilde dat ze hun shirt droegen, een verzoek dat in zijn laatste dagen aan iedereen was doorgegeven. Er lag een dekkleed over de baan en enkele honderden klapstoelen waren daar in de vorm van een halvemaan op neergezet. Om ongeveer halfeen gaf pastoor McCabe het teken en begonnen de spelers hun plaatsen op te zoeken. Mevrouw Lila en haar familie zaten op de voorste rijen.

Neely zat tussen Paul Curry en Silo Mooney in, met dertig andere leden van het team uit 1987 om hen heen. Twee waren dood en zes waren verdwenen. De rest kon niet komen.

Bij de noordelijke doelpalen begon een doedelzak te jammeren en de menigte werd stil. Silo begon bijna meteen tranen te vergieten, en hij was de enige niet. Toen de laatste melancholieke tonen over het veld wegstierven, waren de rouwenden aan warmere, serieuze emoties toe. Pastoor McCabe ging langzaam naar het geïmproviseerde spreekgestoelte en stelde de microfoon bij.

'Goedemiddag,' zei hij met een schelle stem die scherp door de stadionluidsprekers sneed en op een kilometer afstand te horen was. 'En welkom bij onze ceremonie over het leven van Eddie Rake. Namens mevrouw Lila

Rake, en haar familie heet ik u welkom en dank ik u voor uw komst.'

Hij sloeg een bladzijde met aantekeningen om. 'Carl Edward Rake werd 72 jaar geleden geboren in Gaithersburg, Maryland. 48 jaar geleden trouwde hij met Lila Saunders. 44 jaar geleden werd hij door het schoolbestuur van Messina aangesteld als hoofdcoach van het footballteam. Hij was toen 28 jaar en had geen ervaring als hoofdcoach. Hij heeft altijd gezegd dat hij die baan kreeg omdat niemand anders er belangstelling voor had. Hij heeft hier 34 jaar gecoacht, meer dan 400 wedstrijden gewonnen, 13 staatskampioenschappen behaald, en we kennen de rest van de cijfers wel. Maar wat nog belangrijker was: hij heeft invloed uitgeoefend op de levens van ons allemaal. Coach Rake is woensdagavond overleden. Hij is vanmorgen in besloten kring ter aarde besteld, met alleen de familie erbij, en op zijn persoonlijk verzoek, en met toestemming van de familie Reardon, heeft hij zijn laatste rustplaats naast Scotty gekregen. Coach Rake vertelde me vorige week dat hij van Scotty droomde. Hij zei dat hij bijna niet kon wachten tot hij hem boven in de hemel zou tegenkomen, want kon hij hem tegen zich aan drukken en tegen hem zeggen dat hij er spijt van had.'

Met een perfecte timing laste hij een korte stilte in om dit goed tot de menigte te laten doordringen. Hij sloeg een bijbel open.

Toen hij op het punt stond om verder te gaan, was er enig tumult bij de poort. Er waren harde klanken van een radio te horen. Autodeuren sloegen dicht en er klonken stemmen. Er liepen daar mensen rond. Pastoor McCabe zweeg en keek, en toen keken alle anderen ook.

Een reus van een man liep met grote stappen door de poort en de baan op. Het was Jesse Trapp, met een cipier aan weerskanten. Hij droeg een perfect gestreken kakibroek en dito overhemd, gevangeniskleding, en zijn handboeien waren afgedaan. Zijn bewakers waren in uniform en niet veel kleiner dan hij. De mensen verstijfden toen ze hem herkenden. Toen hij langs de zijlijn liep, hield hij zijn hoofd hoog geheven, zijn rug kaarsrecht, een trotse man, maar hij keek ook een beetje verbijsterd uit zijn ogen. Waar moest hij heen gaan? Zou hij bij de anderen passen? Zou hij welkom zijn? Toen hij het eind van de tribunes naderde, trok iemand in de menigte zijn aandacht. Een stem riep, en Jesse bleef staan.

Het was zijn moeder, een kleine vrouw die een plek langs het hek bezet hield. Hij vloog op haar af en omhelsde haar over het gazen hek heen. Zijn bewakers keken elkaar aan om er zeker van te zijn dat, ja, dat het de gedetineerde toegestaan was zijn moeder te omhelzen. Uit een verfomfaaide boodschappentas haalde mevrouw Trapp een groen shirt. Nummer 56, waarvan in 1985 officieel afscheid was genomen. Jesse hield het voor zich uit en keek langs de baan naar de vroegere spelers, die allemaal reikhalzend naar hem keken. Voor dezelfde 10.000 mensen die ooit tegen hem hadden geschreeuwd dat hij tegenstanders kreupel moest slaan, maakte hij vlug de knopen van zijn overhemd los en trok het uit. Plotseling vertoonde hij meer schitterende, gebruinde spieren dan iedereen ooit had gezien, en het leek wel of hij even wachtte om iedereen, en hemzelf, van dit moment te laten genieten. Pastoor McCabe wachtte geduldig, net als alle anderen.

Toen hij het shirt goed voor zich had, trok hij het over zijn hoofd en gaf hij er hier en daar rukjes aan om het precies op zijn plaats te krijgen. Het spande om zijn biceps en zat erg strak om zijn borst en om zijn hals, maar iedere andere Spartan die daar aanwezig was, zou een moord hebben begaan om dat shirt zo goed op te vullen. Het zat wat wijd om de taille, en toen hij het zorgvuldig in zijn broek stopte, leek het net of het shirt zou openbarsten. Hij omhelsde zijn moeder nog een keer.

Iemand applaudisseerde, en toen stonden er meer mensen op en klapten in hun handen. Welkom thuis, Jesse, we houden nog steeds van je. Binnen de kortste keren ratelden de tribunes: iedereen stond op. Een daverend applaus galmde over Rake Field, een hele stad die een gevallen held weer aan de borst drukte. Jesse knikte, zwaaide wat verlegen en liep toen langzaam door naar het podium. De staande ovatie zwol in volume aan toen hij pastoor McCabe de hand drukte en mevrouw Lila omarmde. Hij werkte zich met omarmingen door een willekeurige rij vroegere spelers heen en vond ten slotte een lege klapstoel die leek te bezwijken onder zijn gewicht. Toen hij daar eenmaal zat, liepen de tranen hem over de wangen.

Pastoor McCabe wachtte tot de rust was weergekeerd. Er was die dag geen haast bij; niemand keek op de klok. Hij zette de microfoon weer recht en zei: 'Een van de favoriete schriftteksten van coach Rake was psalm 23. Die hebben we afgelopen maandag samen gelezen. Zijn favoriete regel was: "Al ging ik ook in een dal der schaduw des doods, ik zou geen kwaad vrezen. Uw stok en Uw staf vertroosten mij." Eddie Rake leidde zijn leven zonder angst. Zijn spelers leerden dat wie timide en angstig is niet tot de overwinnaars kan behoren. Wie geen risico's neemt, krijgt geen beloning. Een paar maanden geleden legde coach Rake zich erbij neer dat zijn dood onvermijdelijk was. Hij was niet bang voor zijn ziekte en het leed dat zou volgen. Hij was niet bang om afscheid te nemen van zijn beminden. Hij was niet bang om te sterven. Zijn geloof in God was sterk en onwankelbaar. "De dood is nog maar het begin," mocht hij graag zeggen.'

Pastoor McCabe maakte een lichte buiging en liep achteruit van het podium af. Op dat moment begon een vrouwenkoor uit een zwarte kerk te neuriën. Ze droegen rode en goudkleurige gewaden, en na een korte inleiding stortten ze zich op een uitbundige versie van *Amazing grace*. De muziek wekte emoties op, zoals bij zulke gelegenheden altijd gebeurt. En herinneringen. Iedere Spartan-speler was al gauw verdiept in zijn eigen beelden van Eddie Rake.

Neely dacht bij Rake altijd allereerst aan de klap in zijn gezicht, de gebroken neus, de stomp waarmee hij de coach buiten westen sloeg en de dramatische comeback waarmee ze het staatskampioenschap hadden behaald. En het kostte hem altijd moeite om verder te gaan, voorbij dat pijnlijke moment, en ook aan de goede tijden terug te denken.

Zeldzaam is de coach die spelers kan motiveren om hun hele leven naar zijn goedkeuring te streven. Vanaf het moment dat Neely in de zesde klas voor het eerst een shirt aantrok, wilde hij Rakes aandacht. En zes jaar lang, bij elke pass die hij gooide, elk rondje dat hij rende, elke play dat hij in zijn hoofd prentte, elke halter die hij omhoog tilde, elk uur dat hij zwetend doorbracht, elke toespraak die hij voor een wedstrijd hield, elke touchdown die hij scoorde, elke wedstrijd die hij won, elke verleiding die hij weerstond, elk ererondje dat hij maakte, streefde hij altijd weer naar de goedkeuring van Eddie Rake. Hij wilde Rakes gezicht zien als hij de Heisman-trofee won. Hij droomde van Rakes telefoontje als Tech landskampioen werd.

En zeldzaam is de coach die, nog lang nadat een speler afscheid van het veld heeft genomen, elke mislukking erger maakt. Toen de artsen tegen Neely zeiden dat hij nooit meer zou spelen, had hij het gevoel dat hij Rake had teleurgesteld. Toen zijn huwelijk mislukte, kon hij Rakes afkeurende blik bijna voor zich zien. Toen zijn kleine makelaarskantoor achteruitging omdat hij geen duidelijke ambities had, wist hij dat Rake een preek tegen hem zou hebben afgestoken als hij dichtbij genoeg was geweest om het te horen. Misschien zou zijn dood ook een eind maken aan de demon die hem achtervolgde, maar hij had daar zijn twijfels over.

Toen het koor klaar was, liep Ellen Rake Young, zijn oudste dochter, naar het spreekgestoelte en vouwde ze een papier open. Net als haar zussen was ze zo verstandig geweest om na haar schooltijd Messina te ontvluchten en was ze alleen teruggekomen wanneer familieaangelegenheden dat vereisten. De schaduw van haar vader was zo groot dat zijn kinderen niet in zo'n kleine plaats konden gedijen. Ze was midden veertig, psychiater in

Boston, en ze had de houding van iemand die hier niet op haar plaats was.

'Namens onze familie dank ik u voor uw gebeden en steun in de afgelopen weken. Mijn vader is met veel moed en waardigheid gestorven. Hoewel zijn laatste jaren niet zijn beste waren, dacht hij met liefde aan deze stad en de mensen die er wonen. Hij hield vooral van zijn spelers.'

Liefde was niet een woord dat de spelers hun coach ooit hadden horen gebruiken. Als hij van hen had gehouden, had hij dat wel op een vreemde manier laten blijken.

'Mijn vader heeft een korte tekst geschreven die ik nu op zijn verzoek zal voorlezen.' Ze zette haar leesbril recht, schraapte haar keel en concentreerde zich op het papier. 'Dit is Eddie Rake, sprekend vanuit het graf. Als jullie huilen, hou daar dan mee op.' Daar werd een beetje om gelachen door het publiek, dat erg naar een luchtig moment verlangde. 'Ik heb zelf nooit veel in tranen gezien. Mijn leven is nu compleet, dus huil niet om mij. En huil niet om de herinneringen. Kijk nooit achterom; er is nog zo veel te doen. Ik ben een gelukkig mens die een geweldig leven heeft gehad. Ik was zo verstandig om met Lila te trouwen zodra ik haar kon overhalen, en God zegende ons met drie beeldschone dochters en, bij de laatste telling, acht volmaakte kleinkinderen. Dat alleen is al genoeg voor een mens. Maar God had vele zegeningen voor mij in petto. Hij leidde me naar football, en naar Messina, de plaats waar ik thuishoor. En daar ontmoette ik jullie, mijn vrienden, en mijn spelers. Hoewel ik emotioneel niet in staat was mijn gevoelens over te dragen, wil ik mijn spelers laten weten dat ik van elk van hen heb gehouden. Waarom zou iemand die normaal bij zijn verstand is anders 34 jaar lang coach van een school-voetbalteam blijven? Voor mij was dat gemakkelijk. Ik hield van mijn spelers. Ik wilde dat ik het had kunnen zeggen, maar dat ligt nu eenmaal niet in mijn aard. We hebben veel bereikt, maar ik zal nu niet stilstaan bij de overwinningen en de kampioenschappen. In plaats daarvan heb ik dit moment uitgekozen om te vertellen dat ik spijt heb van twee dingen.' Ellen zweeg even en schraapte weer haar keel. Het leek wel of iedereen in het stadion zijn adem inhield. 'Twee dingen waar ik spijt van heb, in vierendertig jaar. Zoals ik al zei, ben ik een gelukkig mens. Het eerste is Scotty Reardon. Ik had nooit gedacht dat ik nog eens verantwoordelijk zou zijn voor de dood van een van mijn spelers, maar ik erken dat ik schuldig ben aan zijn dood. Ik heb daarna elke dag van mijn leven moeten huilen bij de gedachte aan zijn laatste ogenblikken, toen ik hem in mijn armen hield. Ik heb die gevoelens tot uiting gebracht bij zijn ouders, en ik denk dat ze me in de loop van de jaren hebben vergeven. Ik klamp me vast aan hun vergeving en neem die mee in mijn dood. Ik ben nu bij Scotty, tot in de eeuwigheid, en als we samen neer-kijken op dit moment, hebben we ons met het verle-den verzoend.' Weer een stilte, waarin Ellen een slokje water nam. 'Het tweede waar ik spijt van heb, betreft de wedstrijd om het staatskampioenschap in 1987. In de rust heb ik in een vlaag van razernij een speler mis-handeld, onze quarterback. Dat was een misdadige handeling en het zou rechtvaardig zijn geweest als ik daardoor voorgoed uit de footballsport zou zijn ge-

169

weerd. Ik heb spijt van mijn daden. Toen ik dat team tegen een enorme achterstand zag opboksen, voelde ik me zo trots, en deed het tegelijk zo'n pijn. Die overwinning was het mooiste moment van mijn leven. Alsjeblieft, vergeef me, jongens.'

Neely keek om zich heen. Alle hoofden waren gebogen, en de meeste ogen waren dicht. Silo veegde over zijn gezicht.

'Genoeg over sombere dingen. Mijn liefde gaat uit naar Lila en de meisjes en de kleinkinderen. Binnenkort ontmoeten we elkaar allemaal aan de andere kant van de rivier, in het beloofde land. God zij met jullie.'

Het koor zong *Just a closer walk with Thee*, en de tranen vloeiden.

Neely vroeg zich onwillekeurig af of Cameron haar emoties in bedwang kon houden. Hij vermoedde van wel.

Rake had drie van zijn vroegere spelers gevraagd een rede te houden. Een korte, had hij schriftelijk vanaf zijn doodsbed verordonneerd. De eerste werd gehouden door de edelachtbare Mike Hilliard, een rechter die honderden kilometers van Messina vandaan woonde. In tegenstelling tot de meeste spelers droeg hij een pak, al zaten er kreukels in, en een scheefhangend vlinderstrikje. Hij hield het spreekgestoelte met beide handen vast en had blijkbaar geen aantekeningen nodig.

'Ik speelde in coach Rakes eerste team in 1958,' begon hij met een nogal hoge stem. 'Het jaar daarvoor hadden we drie wedstrijden gewonnen en zeven verloren. In die tijd beschouwden we dat als een goed seizoen, want in onze laatste wedstrijd hadden we Porterville verslagen. De coach verliet de stad en nam zijn assistenten mee, en een tijdlang wisten we niet of we iemand zouden vinden om ons te coachen. Ze namen een jonge man in dienst, een zekere Eddie Rake, die niet veel ouder was dan wij. Het eerste wat hij ons vertelde, was dat we een stelletje sukkels waren, dat verliezen besmettelijk is en dat we konden vertrekken als we dachten dat we met hem ook zouden verliezen. 41 van ons schreven zich dat jaar voor het footballteam in. Coach Rake ging met ons naar een oud kampeerterrein van de kerk in Page County. Daar liet hij ons in augustus trainen, en na vier dagen waren we nog met dertig over. Na een week waren we nog met zijn vijfentwintigen en begonnen sommigen van ons zich af te vragen of we lang genoeg in leven zouden blijven om een team in het veld te brengen. De trainingen waren meer dan keihard. Elke middag ging er een bus naar Messina, en het stond ons vrij om daar in te stappen. Na twee weken was de bus leeg en reed hij niet meer. De jongens die ermee waren opgehouden, hadden thuis gruwelverhalen verteld over wat zich afspeelde in kamp Rake, zoals het al gauw werd genoemd. Onze ouders maakten zich grote zorgen. Mijn moeder vertelde me later dat ze het gevoel had dat ik naar de oorlog was vertrokken. Jammer genoeg heb ik de oorlog meegemaakt. En ik prefereer de oorlog boven kamp Rake.

We verlieten dat kamp met 21 spelers, 21 jongens die nog nooit in zo'n goede vorm hadden verkeerd. We waren klein en langzaam en we hadden geen quarterback, maar we waren overtuigd van ons kunnen. We begonnen met een thuiswedstrijd tegen Fulton, een team dat ons het jaar daarvoor te schande had gemaakt. Sommigen van jullie zullen zich dat vast nog wel herinneren. In de rust stonden we met 20-0 voor en Rake gaf ons de wind van voren omdat we een paar fouten hadden gemaakt. Zijn genialiteit was eenvoudig – beperk je tot de elementaire vaardigheden en werk er non-stop aan tot je ze perfect kunt uitvoeren. Lessen die ik nooit heb vergeten. We wonnen de wedstrijd en we waren dat in de kleedkamer aan het vieren toen Rake binnenkwam en zei dat we ons gemak moesten houden. Blijkbaar was onze uitvoering nog niet perfect geweest. Hij zei dat we ons tenue aan moesten houden, en toen het publiek weg was, gingen we naar dit veld terug en trainden daar tot middernacht. We oefenden twee plays tot alle elf jongens alles perfect onder de knie hadden. Onze vriendinnen wachtten. Onze ouders wachtten. Het was mooi dat we die wedstrijd hadden gewonnen, maar de mensen begonnen het gevoel te krijgen dat coach Rake gek was. De spelers wisten dat al.

We wonnen dat jaar acht wedstrijden en verloren er maar twee, en de legende van Eddie Rake was geboren. In mijn laatste jaar verloren we één wedstrijd, en in 1960 had coach Rake zijn eerste ongeslagen seizoen. Ik studeerde toen al en ik kon niet elke vrijdag naar huis komen, al wilde ik dat wel heel graag. Als je voor Rake speelt, word je lid van een exclusieve kleine club, en dan volg je de teams die na je komen. In de volgende 32 jaren heb ik de Messina Spartans zo goed mogelijk gevolgd. Ik was hier, ik zat daar op de tribune, toen in 1964 de grote streak begon, en ik was in South Wayne toen daar in 1970 een eind aan kwam. Samen met jullie zag ik de groten spelen – Wally Webb, Roman Armstead, Jesse Trapp, Neely Crenshaw.

Aan de muren van mijn rommelige kantoor hangen de foto's van alle 34 teams van Rake. Hij stuurde me elk jaar een foto van het team. Vaak steek ik, als ik eigenlijk moet werken, mijn pijp aan en ga ik voor die foto's staan, en dan zie ik de gezichten van al die jongens die hij heeft gecoacht. Magere blanke jongens in de jaren vijftig, met gemillimeterd haar en een onschuldige glimlach. Ruigere gezichten in de jaren zestig, minder glimlachjes, vastbesloten uitdrukkingen, je kunt de onheilspellende wolken van oorlog en burgerrechten al bijna op hun gezichten zien. Zwarte en blanke spelers door elkaar heen in de jaren zeventig en tachtig, veel grotere jongens, met mooiere tenues, sommigen de zoon van jongens met wie ik heb gespeeld. Ik weet dat iedere speler die vanaf mijn muren op me neerkijkt voorgoed is beïnvloed door Eddie Rake. Ze speelden dezelfde plays, hoorden dezelfde peptalk, kregen dezelfde preken, ondergingen dezelfde keiharde trainingen in augustus. En wij allemaal waren er op een gegeven moment van overtuigd dat we Eddie Rake haatten. Maar dan waren we al weg. Onze foto's hangen aan de muren, en we horen de rest van ons leven zijn stem in de kleedkamer, en we verlangen terug naar de tijd waarin we hem coach noemden.

De meeste van die gezichten zijn vandaag hier aanwezig. Iets ouder, grijzer, sommigen een beetje zwaarder. En allemaal bedroefder omdat we afscheid nemen van coach Rake. En waarom doet dit ons iets? Waarom zijn wij hier? Waarom zijn de tribunes weer helemaal vol? Nou, ik zal jullie zeggen waarom.

Weinigen van ons zullen ooit iets doen wat in de herinnering van meer dan een handvol mensen zal voortleven. Wij zijn niet groot. We zijn misschien goed, eerlijk, redelijk, hardwerkend, trouw, aardig, edelmoedig en erg fatsoenlijk, of misschien zijn we dat niet. Maar we worden niet tot de groten gerekend. Grootheid komt zo zelden voor dat we het willen aanraken als we het zien. Eddie Rake heeft ons, spelers en supporters, in de gelegenheid gesteld grootheid aan te raken, er deel van uit te maken. Hij was een grote coach die een groot programma en een grote traditie heeft opgebouwd en die ons allemaal iets groots heeft gegeven, iets wat we altijd zullen koesteren. Hopelijk zullen de meesten van ons lang en gelukkig leven, maar we zullen nooit meer zo dicht bij grootheid komen. Daarom zijn we hier.

Of je nu van Eddie Rake hield of niet, je kunt zijn grootheid niet ontkennen. Hij was de beste man die ik ooit heb ontmoet. Mijn gelukkigste herinneringen heb ik aan de tijd dat ik het groene shirt droeg en voor hem op dit veld speelde. Ik verlang naar die tijd terug. Ik hoor zijn stem, voel zijn woede, ruik zijn zweet, zie zijn trots. Ik zal de grote Eddie Rake altijd missen.'

Hij zweeg nu, maakte een buiging en ging abrupt van de microfoon vandaan. Er ging een licht, bijna verlegen applaus door de menigte. Zodra hij ging zitten, stond een steviggebouwde zwarte man in een grijs pak op en liep met een waardige houding naar het spreekgestoelte. Onder zijn jasje droeg hij het groene shirt. Hij keek op en tuurde over de menigte die dicht opeen zat.

'Goedemiddag,' zei hij met een stem die geen microfoon nodig had. 'Ik ben dominee Collis Suggs van de

Bethelkerk van God in Christus, hier in Messina.'

Collis Suggs hoefde zich niet voor te stellen aan een-ieder die binnen honderd kilometer van Messina woonde. Eddie Rake had hem in 1970 tot zijn eerste zwarte captain benoemd. Hij speelde korte tijd bij Florida A&M, totdat hij een been brak, en werd later predikant. Hij bouwde een grote gemeente op en raakte ook betrokken bij de politiek. Jarenlang werd gezegd dat als Eddie Rake en Collis Suggs wilden dat je gekozen werd, je al gekozen was. Zo niet, dan kon je je naam wel van de stembiljetten laten halen.

In dertig jaar op de preekstoel had hij perfect leren spreken. Zijn dictie was foutloos, en zijn timing en intonatie hielden een publiek in zijn ban. Het was bekend dat coach Rake op zondagavonden op de achterste rij van de Bethelkerk ging zitten, alleen om zijn vroegere noseguard te horen preken.

'Ik speelde voor coach Rake in 1969 en 1970.' De meeste aanwezigen hadden alle wedstrijden gezien.

'Eind juli 1969 had het Amerikaanse Hooggerechtshof er eindelijk genoeg van. Vijftien jaar na de zaak-Brown waren de meeste scholen in het Zuiden nog steeds gesegregeerd. Het hof nam een drastisch besluit, en dat heeft onze levens voorgoed veranderd. Op een warme zomeravond speelden we basketbal in de sportzaal van Section High, de zwarte school, toen coach Thomas kwam binnenlopen en zei: "Jongens, we gaan naar de Messina High School. Jullie worden Spartans. Stap in de bus." Een stuk of tien van ons stapten in de bus en coach Thomas reed ons door de stad. We waren een beetje bang. We hadden al vaak gehoord dat de scholen geïntegreerd zouden worden, maar de ene na de andere einddatum was verstreken. We wisten dat de Messina High School het beste van alles had – mooie gebouwen, mooie velden, een kolossale sporthal, veel trofeeën, een footballteam dat in die tijd zo'n vijftig of zestig wedstrijden achter elkaar had gewonnen. En ze hadden een coach die dacht dat hij Vince Lombardi was. Ja, we voelden ons geïntimideerd, maar we wisten dat we dapper moesten zijn. Zo kwamen we die avond bij de Messina High School aan. Het footballteam was aan het gewichtheffen in de enorme ruimte die ze daarvoor hadden, meer gewichten dan ik in mijn hele leven had gezien. Ongeveer veertig jongens waren daar aan het trainen, zwetend, met muziek erbij. Zodra we binnenkwamen, was iedereen stil. Ze keken naar ons. Wij keken naar hen. Eddie Rake kwam naar ons toe, schudde coach Thomas de hand en zei: "Welkom op jullie nieuwe school." Hij liet ons handen schudden, en toen moesten we van hem op de matten gaan zitten en hield hij een toespraakje. Hij zei dat het hem niet kon schelen wat voor kleur we hadden. Al zijn spelers droegen groen. Voor hem lag het heel eenvoudig. Met hard werken won je wedstrijden, en hij geloofde niet in verliezen. Ik weet nog dat ik daar op die rubberen mat zat en gefascineerd naar die man luisterde. Hij werd meteen mijn coach. Eddie Rake was goed in veel dingen, maar in elk geval heb ik nooit iemand ontmoet die mij zo goed kon motiveren. Het liefst zou ik die avond al het tenue hebben aangetrokken en op mensen zijn losgebeukt.

Twee weken later, in augustus, begonnen we twee keer per dag te trainen, en ik heb in mijn hele leven nooit zoveel pijn geleden. Rake had gelijk. De huidskleur deed er niet toe. Hij behandelde ons allemaal als honden, blank of zwart.

We maakten ons veel zorgen over de eerste schooldagen, over vechtpartijen en raciale conflicten. En op de meeste scholen kwamen die veel voor. Hier niet. De directeur liet de beveiliging aan coach Rake over, en alles verliep soepel. Hij liet al zijn spelers groene wedstrijdshirts aantrekken, dezelfde die we nu aanhebben, en hij liet ons duo's vormen, een zwarte speler met een blanke speler. Toen de bussen kwamen aanrijden, stonden we klaar om ze te begroeten. Het eerste wat de zwarte leerlingen op de Messina High School zagen, was het footballteam, zwarte en witte spelers door elkaar heen, iedereen in het groen. Een paar heethoofden wilden onrust stoken, maar we brachten ze op andere gedachten.

De eerste controverse ging over de cheerleaders. De blanke meisjes hadden de hele zomer als team geoefend. Coach Rake ging naar de directeur en zei dat half-om-half een goed idee zou zijn. En dat was het. Dat is het nog steeds. Toen kwam het muziekkorps. Er was niet genoeg geld om het witte korps en het zwarte korps samen te voegen en iedereen in het Messina-uniform te laten marcheren. Sommige leerlingen zouden eruit moeten. Het leek erop dat de meesten die aan de zijlijn bleven staan zwart zouden zijn. Coach Rake ging naar de club van vrijwilligers en zei dat hij twintigduizend dollar voor nieuwe muziekuniformen nodig had. Hij zei dat Messina het grootste schoolkorps van de staat zou hebben, en dat hebben we nog steeds.

Er was veel verzet tegen de integratie. Veel blanken

dachten dat het een tijdelijk verschijnsel zou zijn. Zodra de rechtbanken klaar waren, zou alles terugkeren tot het oude systeem van "apart maar gelijk". Laat ik jullie vertellen dat apart nooit gelijk was. Aan onze kant van de stad werd veel gespeculeerd over de vraag of de blanke coaches ons zwarte jongens ooit in het veld zouden zetten. En vanuit de blanke kant van de stad werd veel druk op de coaches uitgeoefend om alleen blanke kinderen op te stellen. Onze eerste wedstrijd van dat jaar speelden we tegen North Delta. Ze kwamen met een team van alleen blanke jongens in het veld. Ze hadden ongeveer vijftien zwarte jongens op de bank zitten. Ik kende sommigen van hen, wist dat ze goed konden spelen. Rake zette de beste spelers in het veld, en we beseften algauw dat North Delta dat niet deed. Het werd een bloedbad. In de rust stonden we voor met 41-0. Toen de tweede helft begon, kwamen de zwarte jongens bij North Delta van de bank, en ik moet toegeven dat wij ons een beetje ontspanden. Maar het probleem was dat niemand zich ooit ontspande bij Eddie Rake. Als hij zag dat je in het veld stond te lanterfanten, moest je bij hem langs de zijlijn gaan staan.

Het nieuws dat Messina zwarte jongens opstelde verspreidde zich, en al gauw gebeurde dat in de hele staat. Eddie Rake was de eerste blanke die ooit tegen me schreeuwde zonder dat ik het erg vond. Zodra ik besefte dat hij zich echt niet voor de kleur van mijn huid interesseerde, wist ik dat ik hem overal zou volgen. Hij verafschuwde onrecht. Omdat hij hier niet vandaan kwam, bracht hij een andere zienswijze mee. Niemand had het recht een ander onheus te behandelen, en als coach Rake daar lucht van kreeg, was je nog niet jarig. Ondanks al zijn hardheid was hij erg gevoelig voor het leed van anderen. Toen ik predikant was geworden, kwam coach Rake naar onze kerk en werkte hij mee aan onze bijzondere projecten. Hij stelde zijn huis open voor verwaarloosde en mishandelde kinderen. Hij verdiende als coach nooit veel geld, maar hij was royaal als iemand voedsel of kleding of zelfs lessen nodig had. Hij coachte jeugdteams in de zomer. Natuurlijk keek hij dan ook uit naar jongens die konden hardlopen. Hij organiseerde viswedstrijden voor kinderen zonder vader. Het was kenmerkend voor hem dat hij nooit naar erkenning voor al die dingen streefde.'

De dominee zweeg even en nam een slokje water. De menigte keek naar al zijn bewegingen, en wachtte.

'Toen ze coach Rake hadden ontslagen, ging ik veel met hem om. Hij was ervan overtuigd dat hij onredelijk was behandeld. Maar ik denk dat de coach zijn lot heeft aanvaard naarmate de jaren verstreken. Ik weet dat hij veel verdriet heeft gehad om Scotty Reardon. En ik ben zo blij dat hij vanmorgen zijn laatste rustplaats naast Scotty heeft gekregen. Misschien kan deze stad nu een eind maken aan de vete. Wat is het ironisch dat de man die ons op de kaart zette, de man die zoveel heeft gedaan om zovelen bijeen te brengen, ook de man was om wie Messina nu al meer dan tien jaar ruzie maakt. Laten we de strijdbijl begraven, onze wapens neerleggen en niet meer twisten om Eddie Rake. Wij allen zijn één in Christus. En in dit geweldige stadje zijn we één in Eddie Rake. God zegene onze coach. God zegene jullie.'

Het strijkkwartet speelde een droevig stuk dat tien minuten duurde.

Je kon erop rekenen dat Rake het laatste woord zou hebben. Je kon erop rekenen dat Rake zijn spelers nog één laatste keer zou manipuleren.

Neely kon natuurlijk niets slechts over zijn coach zeggen, niet op dit moment. Vanuit het graf had Rake zijn verontschuldigingen aangeboden. Nu wilde hij dat Neely tegenover de stad ging staan, de verontschuldigingen aanvaardde en er een paar hartelijke woorden aan toevoegde.

Toen hij van mevrouw Lila een briefje had gekregen met het verzoek het woord te voeren, had hij eerst gevloekt en gevraagd: waarom ik? Van alle spelers die Rake had gecoacht hadden tientallen een nauwere band met hem gehad dan Neely. Paul vermoedde dat Rake op deze manier definitief vrede wilde sluiten met Neely en het team van 1987.

Wat de reden ook was, er was geen elegante manier om eronderuit te komen. Paul zei dat hij dat gewoon niet kon maken. Neely zei dat hij nooit eerder zoiets had gedaan, nooit eerder een grote groep mensen had toegesproken, en trouwens ook geen kleine groep, en dat hij er bovendien over dacht om er in de loop van de avond tussenuit te knijpen om aan dit alles te ontkomen.

Toen hij langzaam tussen de spelers door liep, voelden zijn voeten zwaar aan en deed zijn linkerknie meer pijn dan gewoonlijk. Zonder mank te lopen stapte hij op het kleine podium en ging hij achter het spreekgestoelte staan. Toen keek hij naar al die mensen, die allemaal naar hem keken, en hij viel bijna flauw. Tussen de 20-yardlijnen – zestig yards in totaal – en vijftig rij-en hoog, was de thuistribune van Rake Field alleen nog maar een muur van gezichten die omlaag keken om een oude held te bewonderen.

Als hij niet kon vechten, was hij volledig aan de angst ten prooi. Hij was de hele morgen bang en nerveus geweest, en nu was hij radeloos van angst. Langzaam vouwde hij een papier open, en in alle rust las hij de woorden nog eens over die hij had geschreven en herschreven. Denk niet aan die mensenmassa, zei hij tegen zichzelf. Je mag jezelf niet te schande maken. Deze mensen herinneren zich een geweldige quarterback, niet een lafaard met overslaande stem.

'Ik ben Neely Crenshaw,' kon hij met enige zekerheid zeggen. Hij vond een punt op de gazen omheining langs de baan, recht voor hem, net boven de hoofden van de spelers en net onder de eerste rij van de tribune. Hij zou zijn woorden tot dat deel van het hek richten en niet aan al het andere denken. Hij hoorde zijn stem uit de luidsprekers komen en vond dat een geruststellend geluid. 'En ik heb van 1984 tot 1987 voor coach Rake gespeeld.'

Hij keek weer naar zijn aantekeningen en herinnerde zich een preek van Rake. Angst is onvermijdelijk, en angst is niet altijd slecht. Gebruik je angst in je voordeel. Natuurlijk had dat voor Rake betekend dat je uit de kleedkamer het veld op stormde en de eerste de beste tegenstander kreupel schopte. Niet bepaald een nuttig advies wanneer er welsprekendheid van je werd verlangd.

Hij keek weer naar het hek, haalde zijn schouders op,

probeerde te glimlachen en zei: 'Zeg, ik ben geen rechter en geen dominee, en ik ben het niet gewend om voor grote groepen te spreken. Ik hoop dat jullie daar begrip voor hebben.'

De aanbiddende menigte wilde overal wel begrip voor hebben.

Hij frommelde aan zijn papier en begon te lezen. 'Ik heb coach Rake voor het laatst gezien in 1989. Ik lag in het ziekenhuis, een paar dagen na een operatie, en hij glipte laat op een avond mijn kamer in. Er kwam een verpleegkundige binnen die tegen hem zei dat hij weg moest gaan. Het bezoekuur was voorbij. Hij legde in niet mis te verstane termen uit dat hij zou weggaan als hij daar klaar voor was, en geen minuut eerder. Ze liep verontwaardigd de kamer uit.'

Neely keek op en zag de spelers. Veel glimlachende gezichten. Zijn stem was stevig, zonder haperingen. Hij zou dit overleven.

'Ik had sinds de kampioenswedstrijd van 1987 niet met coach Rake gesproken. Iedereen zal wel weten waarom. We hebben allemaal geheimgehouden wat er toen gebeurd was. We vergaten het niet, want dat zou onmogelijk zijn geweest. Daarom hielden we het gewoon voor ons. Op die avond in het ziekenhuis keek ik op en daar was coach Rake. Hij stond naast mijn bed en wilde praten. Na enkele moeilijke ogenblikken begonnen we verhalen uit te wisselen. Hij trok een stoel bij en we praatten een hele tijd. We praatten zoals we nooit eerder hadden gepraat. Wedstrijden van vroeger, spelers van vroeger, veel herinneringen aan het football in Messina. Soms lachten we ook. Hij vroeg naar mijn blessure. Toen ik hem vertelde dat de artsen er bijna zeker van waren dat ik nooit meer zou spelen, werden zijn ogen vochtig en kon hij een hele tijd geen woord uitbrengen. Een veelbelovende carrière was plotseling voorbij, en Rake vroeg me wat ik van plan was te gaan doen. Ik was negentien. Ik had geen idee. Hij liet me beloven dat ik mijn studie af zou maken, een belofte die ik niet ben nagekomen. Ten slotte kwam hij over de kampioenswedstrijd te spreken, en hij verontschuldigde zich voor wat hij had gedaan. Hij liet me beloven dat ik hem zou vergeven, en die belofte ben ik ook niet nagekomen. Tot nu toe.'

Op een gegeven moment waren Neely's ogen, zonder dat hij het besefte, van zijn aantekeningen, en ook van het hek, afgedwaald. Hij keek nu naar de menigte. 'Toen ik weer kon lopen, merkte ik dat het me te veel moeite kostte om de lessen te volgen. Ik was naar het college gegaan om football te spelen, en toen dat plotseling voorbij was, had ik geen zin om te studeren. Na een paar semesters stopte ik met mijn studie, en toen heb ik een paar jaar rondgezworven. Ik probeerde Messina te vergeten, en Eddie Rake en alle kapotgeslagen dromen. Football was een lelijk woord voor mij. Ik liet de verbittering in mij groeien en woekeren, en ik was vastbesloten nooit meer terug te komen. In de loop der jaren deed ik mijn best om helemaal niet meer aan Eddie Rake te denken.

Een paar maanden geleden hoorde ik dat hij erg ziek was en waarschijnlijk niet in leven zou blijven. Er waren veertien jaren verstreken sinds ik voor het laatst voet op dit veld heb gezet, de avond waarop coach Rake officieel afscheid nam van mijn nummer. Zoals alle vroegere spelers die hier vandaag aanwezig zijn voelde ik een grote drang om naar huis te gaan, om terug te keren naar dit veld, waar we eens de wereld in bezit hadden. Ongeacht mijn gevoelens voor coach Rake wist ik dat ik hier moest zijn als hij stierf. Ik moest afscheid nemen. En ik moest eindelijk, en oprecht, zijn verontschuldigingen aanvaarden. Ik had dat al eerder moeten doen.'

Die laatste paar woorden klonken gespannen. Hij greep het spreekgestoelte vast, zweeg en keek naar Paul en Silo, die allebei knikten, allebei zeiden: 'Ga door.'

'Als je eenmaal voor Eddie Rake hebt gespeeld, draag je hem voor altijd met je mee. Je hoort zijn stem, je ziet zijn ruige gezicht, je verlangt naar zijn goedkeurende glimlach, je herinnert je zijn scheldkanonnades en preken. Bij elk succes dat je in het leven behaalt, wil je dat Rake ervan weet. Je wilt zeggen: "Hé, coach, kijk eens wat ik heb gedaan." En je wilt hem bedanken omdat hij je heeft geleerd dat succes geen kwestie van toeval is. En bij elke mislukking wil je je bij hem verontschuldigen, want hij heeft ons geleerd om nooit te falen. Hij weigerde een mislukking te accepteren. Je wilt van hem horen hoe je een mislukking te boven kunt komen.

Soms heb je er genoeg van om coach Rake altijd met je mee te dragen. Je wilt fouten kunnen maken zonder dat je hem hoort blaffen. Je wilt uitglijden en misschien zelfs een hoek afsnijden zonder dat je zijn fluit hoort. Maar dan zal die stem tegen je zeggen dat je je moet vermannen, dat je je een doel moet stellen, harder moet werken dan alle anderen, dat je je op de elementaire vaardigheden moet concentreren, naar een perfecte uitvoering moet streven, zelfvertrouwen moet

hebben, dapper moet zijn en nooit, nooit moet opgeven. Die stem is nooit ver weg.

Als we vandaag dit stadion verlaten, zal onze coach niet
meer fysiek aanwezig zijn. Maar zijn geest zal voortleven in het hart en de geest en de ziel van alle jongens
die hij heeft beïnvloed, alle jongens die mannen zijn
geworden onder Eddie Rake. De rest van ons leven
zal zijn geest ons stimuleren en motiveren en troos-
ten, denk ik. Na vijftien jaar denk ik meer aan coach
Rake dan ooit.

Er is een vraag die ik mezelf al duizend keer heb gesteld, en ik weet dat alle andere spelers er ook mee hebben geworsteld. Die vraag is: "Hou ik van Eddie Rake,
of haat ik hem?"

Zijn stem begon over te slaan en te verzwakken. Neely
deed zijn ogen dicht, beet op zijn tong en probeerde de
kracht te verzamelen om het af te maken. Toen streek
hij over zijn gezicht en zei langzaam: 'Ik heb elke dag
een antwoord op die vraag, sinds de eerste keer dat hij
op zijn fluitje blies en tegen me blafte. Het was niet gemakkelijk om van coach Rake te houden, en zolang je
hier speelt, vind je hem niet echt sympathiek. Maar
als je weg bent, als je deze stad hebt verlaten, als je een
paar klappen te verduren hebt gekregen, met tegenslag
te kampen hebt gehad, met mislukkingen, als het leven
je tegen de grond heeft gesmeten, besef je al gauw hoe
belangrijk coach Rake is en was. Je hoort altijd zijn
stem. Hij spoort je aan om overeind te krabbelen, om
het beter te doen, en om nooit, nooit op te geven. Je
mist die stem. Als je eenmaal van coach Rake vandaan
bent, mis je hem zo erg.'

Hij had het nu moeilijk. Hij moest gaan zitten, anders

zou hij zich niet goed meer kunnen houden. Hij keek naar Silo, die zijn vuist balde, alsof hij wilde zeggen; 'Maak het af, en snel.'

'Ik heb in mijn leven van vijf mensen gehouden,' zei hij, moedig opkijkend naar de menigte. Zijn stem werd zwakker en hij zette zijn tanden op elkaar en ging verder. 'Mijn ouders, mijn vrouw, een zeker meisje, en Eddie Rake.'

Hij zweeg lang en moeizaam, en zei toen: 'Ik ga nu zitten.'

Toen pastoor McCabe klaar was met de benedictie en de aanwezigen naar huis stuurde, kwamen er maar weinig mensen in beweging. De stad was er nog niet aan toe om afscheid te nemen van zijn coach. De spelers bleven om mevrouw Lila en de familie heen staan, en de stad keek vanaf de tribunes toe.

Het koor zong zacht een spiritual en een paar mensen begonnen in de richting van de uitgang te lopen.

Alle spelers wilden iets tegen Jesse Trapp zeggen, alsof ze daarmee zijn onvermijdelijke terugkeer naar de gevangenis konden vertragen. Na een uur zette Rabbit de John Deere-maaimachine aan en begon hij de zuidelijke end zone te maaien. Per slot van rekening moest er een wedstrijd worden gespeeld. Over vijf uur was de kickoff tegen Hermantown. Toen mevrouw Lila en de familie van de tent wegliepen, volgden de spelers hen langzaam. Personeel haalde vlug de tent uit elkaar en verwijderde het dekkleed en de klapstoelen. De thuisbanken werden in een rechte lijn gezet. De lijnentrekploeg, een ervaren stel vrijwilligers, ging hard aan het werk, want ze lagen al achter op het schema. Ze verafgoodden Rake, maar het veld moest van lijnen worden voorzien en het logo op het middenveld moest worden bijgewerkt. De cheerleaders arriveerden en begonnen de met de hand geschilderde spandoeken aan het hek om het veld te hangen. Ze oefenden met een rookmachine om de opkomst van het team door de end zone nog dramatischer te maken. Ze hingen honderden ballonnen om de doelpalen heen. Voor hen was Rake alleen maar een legende. Op dat moment hadden ze veel belangrijker zaken aan hun hoofd. Het muziekkorps was in de verte te horen, op een van de oefenvelden, waar ze aan het repeteren waren en manoeuvres instudeerden.

Er hing football in de lucht. De vrijdagavond naderde met rasse schreden.

Bij de poort schudden de spelers elkaar de hand. Ze omarmden elkaar en deden de gebruikelijke beloften dat ze vaker bij elkaar zouden komen. Sommigen maakten vlug foto's van de restanten van oude teams. Nog meer omarmingen, nog meer beloften, nog meer trieste blikken op het veld waar ze ooit onder de grote Eddie Rake hadden gespeeld.

Ten slotte gingen ze weg.

Het team van 1987 kwam een paar kilometer buiten de stad in Silo's blokhut bij elkaar. Het was een oude jachthut, diep in de bossen, aan de rand van een meertje. Silo had er wat geld in gestoken – er was een zwembad, en er waren drie terrassen op verschillende hoogten, en een nieuwe pier leidde vijftien meter het water in, met op het eind een klein botenhuis. Twee van zijn werknemers, ongetwijfeld meester-autodieven, waren steaks aan het grillen op een van de terrassen. Nat Sawyer kwam een kistje gesmokkelde sigaren brengen. Twee vaatjes bier stonden in het ijs.

Ze gingen naar het botenhuis, waar Silo, Neely en Paul op tuinstoelen zaten en beledigingen uitwisselden, grappen vertelden en over van alles praatten, behalve over football. De vaatjes werden danig aangesproken. De grappen werden rauwer en er werd veel harder om gelachen. Om een uur of zes werden de steaks geserveerd.

Aanvankelijk waren ze van plan geweest om die avond naar de wedstrijd van de Spartans te gaan, maar niemand maakte aanstalten om dat te doen. Op het moment van de kickoff waren de meesten trouwens niet meer in staat om te rijden. Silo was dronken, hard op weg naar een afschuwelijke kater.

Neely dronk één biertje en ging toen over op frisdrank. Hij had genoeg van Messina en alle herinneringen. Het werd tijd om de stad te verlaten en naar de tegenwoordige tijd terug te keren. Toen hij afscheid begon te nemen, smeekten ze hem om te blijven. Silo huilde bijna toen hij hem omarmde. Hij beloofde dat hij over een jaar naar diezelfde blokhut terug zou komen, waar ze dan bijeen zouden zijn op de dag dat Rake precies één jaar dood was.

Hij reed Paul naar huis en liet hem op zijn garagepad achter. 'Meende je dat, toen je zei dat je volgend jaar terugkomt?' vroeg Paul.

'Ja. Ik kom.'

'Is dat een belofte?'

'Ja.'

'Jij houdt je niet aan je beloften.'

'Aan deze zal ik me houden.'

Hij reed langs de Lanes en zag de huurauto niet staan. Cameron was nu waarschijnlijk al thuis, een miljoen kilometer van Messina vandaan. Misschien dacht ze in de komende dagen nog een of twee keer aan hem, maar dat zouden geen blijvende gedachten zijn.

Hij reed langs het huis waar hij tien jaar had gewoond, langs de sportvelden waar hij als kind had gehonkbald en gefootballd. De straten waren leeg, want iedereen was naar Rake Field.

Op de begraafplaats wachtte hij tot een andere oude Spartan klaar was met zijn meditatie in het donker. Toen het silhouet eindelijk opstond en wegliep, sloop Neely door de stilte. Hij hurkte naast Scotty Reardons steen neer en raakte de verse aarde van Rakes graf aan. Hij zei een gebed, liet een traan vallen en deed er lang over om afscheid te nemen.

Hij reed over het lege plein en toen door de achterstraten, tot hij de grindweg vond. Hij parkeerde op Karr's Hill en zat een uur op de motorkap te kijken en te luisteren naar de wedstrijd die in de verte werd gespeeld. Tegen het eind van het derde quarter vond hij het genoeg.

Het verleden was nu definitief weg. Het was weggegaan met Rake. Neely had genoeg van de herinneringen en kapotgeslagen dromen. Geef het op, zei hij tegen zichzelf. Je wordt nooit meer de held. Die dagen zijn voorgoed voorbij.

Toen hij wegreed, nam hij zich voor om vaker terug te komen. Messina was de plaats waar hij vandaan kwam. Daar lagen de beste jaren van zijn leven. Hij zou terugkomen en op vrijdagavond naar de Spartans gaan, bij

Paul en Mona en al hun kinderen zitten, feest vieren met Silo en Hubcap, eten bij Renfrow, koffie drinken met Nat Sawyer.

En als de naam Eddie Rake viel, zou hij glimlachen, misschien zelfs hardop lachen en zelf ook een verhaal vertellen. Een verhaal dat goed afliep.